Bianka Minte-König

Handy-Liebe

Thienemann

Ein Handy für Hanna

»Ätzend, einfach ätzend, die Typen! Diese Anbaggerei geht mir ganz schön auf den Senkel!«

Ich hatte mich richtig heiß geredet. Nun wechselte ich den Telefonhörer in die linke Hand, um zwischen zwei erregten Sätzen schnell einen kühlen Schluck zu trinken. Am anderen Ende der Leitung hing meine beste Freundin Mila. Die Rede war, wie konnte es anders sein, von den Jungen in unserer Klasse. Voll die Lachnummer in unserer telefonischen Talkrunde mit dem Titel *Was uns die Schule heute gebracht hat*. Eine besinnliche Plauderei über den alltäglichen Wahnsinn unseres Lebens.

»Ich verstehe die Welt nicht mehr«, stöhnte ich theatralisch, und das war noch untertrieben, denn seit der Versetzung in die achte Klasse war beziehungsmäßig die Hölle los. So, als hätten alle Jungen in den Sommerferien nichts anderes getan, als an einer Bar unter südlicher Sonne fette Hormoncocktails zu schlürfen. Jedenfalls gebärdeten sie sich beim Anblick jedes weiblichen Wesens völlig abartig.

»Durchgeknallt«, sagte Mila gerade, »mit den Typen gehen die Hormone durch.«

»Aber bei allen auf einen Schlag?« Ich dachte an den kleinen Kiwi, der mir kaum über die Schulter reichte und seit Tagen wie ein gurrender Täuberich Vanessa umbalzte. Der war doch eben erst aus den Pampers raus.

»Es ist halt wie eine Grippewelle – höchst ansteckend!«

Das war's! Die Jungen mussten von einer Seuche erfasst worden sein. Jedenfalls war ihr Verhalten krankhaft.

Statt wie früher auf dem Schulhof Coladosen zu kicken, standen sie seit den Sommerferien in Grüppchen herum, gafften die vorübergehenden Mädchen an und riefen ihnen blöde Sprüche nach. Besonders kurze Rotschöpfe wie ich und langhaarige Blonde wie meine zweite Lieblingsfreundin Kati schienen ihre halb gare Hormonsuppe zum Brodeln zu bringen.

»Mila, wenn die nicht bald wieder normal werden, krieg ich die Krise«, seufzte ich. Es war wirklich reichlich unerquicklich, sich jedes Mal nach der großen Pause durch ein Spalier von Kerlen, die alle voll auf Körperkontakt spekulierten und den Eingang blockierten, in die Klasse zu quetschen.

Mila blieb cool. »Also, wenn ich so meinen Cousin betrachte, kann das noch dauern.« Sie machte mir wenig Hoffnung auf ein Ende der lästigen Situation. »Bei dem hat sich das erst gelegt, als er in der elften Klasse endlich eine Freundin gefunden hatte. Vorher ist der auch wie so ein brünftiger Pavian durch die Szene gestrichen!«

Ich kicherte. Das hatte Mila wirklich treffend gesagt. Schließlich hatte ich auch so ein Exemplar von Bruder. Seit er mit Carmen zusammen war, hatten in der Tat seine pubertären Blähungen sichtlich nachgelassen, was für das Familienleben sehr förderlich war. Zum Beispiel blockierte er nicht mehr ständig das Telefon, sodass auch ich mal zu meinem Recht kam, ohne ihn erst anschreien zu müssen.

4

»Hm«, zog ich den Schluss aus Milas und meinen Erfahrungen, »das würde ja heißen, wenn wir unsere Ruhe haben wollen, müssen wir dafür sorgen, dass die Kerle eine Freundin kriegen!«

»Genau, das wäre es!«, kicherte Mila irgendwie albern.

»Hört sich aber verdammt nach einem Selbstmordkommando an«, warf ich ein. »Ein Mädchen, das sich mit so einem Typ einlässt, muss ja lebensmüde sein. Die sind doch viel zu sehr mit ihren eigenen Hormonen beschäftig. Denen fehlt es schlicht an der erforderlichen Sensibilität für eine Beziehung.«

Mila war das Kichern vergangen. Beeindruckt von meiner messerscharfen Analyse seufzte sie: »Tja, war halt ein schöner Gedanke, aber wohl nicht ganz praxistauglich.« Und lobend fügte sie hinzu: »Aber deine Analyse … alle Achtung, Hanna! Du solltest Anbandelungsberaterin werden.«

Nun musste ich kichern. »Anbandelungsberaterin?«

»Ja, mach doch einen Stand in der Schule auf: *Partneranalyse und Anbandelungsberatung*. Bedarf ist ja genug da.«

»Du meinst einen Kuppelshop?«

»Drück's doch nicht so profan aus.«

Ich kicherte heftiger, weil ich an dem Gedanken Gefallen fand.

»Ein Flirt-Shop! Das ist doch die Mega-Idee für die Sek-I-Fete! Wir machen einen Stand für Flirt- und … äh … Dingsbumsberatung auf. Kati ist bestimmt dabei. Du machst eine Partnerberatung à la *Wer passt am besten zu meinem Typ* und Kati gibt ihren esoterischen Senf dazu: Partnerschaftshoroskope, Schriftanalysen und Kaffeesatzlesen.«

5

Nun dröhnte mir voll Milas Gelächter in den Gehörgang. »Das ist der Hammer. Wir haben mächtig Spaß und lösen nebenbei noch unser Problem mit den Jungen.«

»Meinst du, da kommt wirklich wer?«, fragte ich, von plötzlicher Skepsis angekränkelt.

»Aber massig! Ich sag doch, ein Riesenbedarf!«

»Na ja, können wir ja mal mit Kati zusammen durchkauen.«

Ich war froh, dass das Gespräch inzwischen auf einer allgemeinen Ebene verlief. Zu meinem Leidwesen hatte meine Lieblingsfreundin nämlich die unerquickliche Angewohnheit, bei jeder Gelegenheit in meinem nicht vorhandenen Liebesleben herumzuwühlen. Offenbar waren nicht nur die Jungen in unserer Klasse am Packen von Beziehungskisten interessiert. Dieses Anbandelungsgerede von Mila schien mir nicht ganz uneigennützig zu sein ... Irgendwie wurde ich den Verdacht nicht los, dass sie damit eine ganz bestimmte Strategie verfolgte. Also, wenn sie glaubte, dass ich ...

Nie – im Leben nicht! Ich war nun wirklich absolut nicht scharf auf diese Pickelgesichter in meiner Klasse! Im Prinzip hatte ich ja gar nichts gegen einen Boyfriend. Aber der Richtige musste es halt sein. Und der war mir eben noch nicht über den Weg gelaufen.

»Du bist einfach zu wählerisch und zu altmodisch. Auf deinen Märchenprinzen kannst du warten, bis du Schimmel ansetzt.« Mila war nun doch wieder bei meinem nicht vorhandenen Liebesleben angekommen. »Schmeiß dich dem Leben in die Arme! Heutzutage ist alles früher, schneller, heftiger! Romantik! Völlig out!«

Um von mir abzulenken, griff ich noch einmal die Sache mit der Verkuppelung auf. »Also, dass die Jungen eine Freundin brauchen, liegt auf der Hand. Es müssen ja nicht gerade wir sein. Am besten wären Mädchen aus den oberen Klassen, die Erfahrung haben und die Typen ein bisschen an die Hand nehmen.«

Nun kriegte Mila einen Lachkrampf. »Du bist ja vielleicht gut! Glaubst du, von denen hat jemand Appetit auf dieses Grüngemüse? Den Kerlen sabbert doch die Muttermilch noch aus den Mundwinkeln!«

Himmel, hatte das Mädchen mal wieder eine drastische Ausdrucksweise! Mich schüttelte es bei diesem Bild ebenfalls, ob vor Lachen oder vor Grausen, sei mal dahingestellt.

Aber Recht hatte sie. Mit den Typen aus unserer Klasse würde sich kein vernünftiges Mädchen einlassen. Es sei denn … Mir kam da eine Idee. Gerade wollte ich sie Mila mitteilen, als ich es im Treppenhaus rumoren hörte.

»Du machst mich wahnsinnig!« Mama trat mit dem Fuß die Wohnungstür hinter sich zu und knallte die beiden übervollen Einkaufstüten auf die Dielenbank.

Dass ich darauf saß, störte sie nicht im Mindesten. Auch nicht, dass der Inhalt der einen Tüte zur Hälfte auf meinem Schoß landete. Was sie an mir wahnsinnig machte, war der schlichte Umstand, dass ich telefonierte.

»Seit einer Dreiviertelstunde versuche ich deinen Vater zu erreichen, damit er mich aus der Stadt abholt. Nur weil das gnädige Fräulein mal wieder Dauergespräche führt, muss ich mir ein teures Taxi nehmen. Aber sei sicher, mein Kind, das zieh ich dir vom Taschengeld ab!« Sie warf ihren Mantel auf den Haken.

»Warte mal einen Moment«, sagte ich zu Mila, »meine Mutter hat mir grade ihre Einkäufe auf den Schoß gekippt.« Ich klemmte mir den Hörer zwischen Schulter und Ohr und sammelte mit den nun freien Händen Tomaten, Salat, Nudelpackungen und Reibekäse zusammen und verstaute alles wieder in der Einkaufstüte.

Gerade war ich damit fertig, als Mama aus der Küche geschossen kam und mir mit den Worten: »Denke ja nicht, dass ich das noch länger mitmache!«, die eben frisch gefüllte Tüte aus der Hand riss.

Die hielt diese grobe Behandlung nicht ein zweites Mal aus, platzte aus den Nähten und ergoss ihren Inhalt auf den Dielenboden.

Eine Fortsetzung des Telefonats mit Mila war angesichts dieses Desasters nun nicht mehr möglich. Mamas hysterischer Ausruf peitschte mich hoch. Ich konnte gerade noch meine Hand über den Telefonhörer legen, damit der Schrei Mila nicht mit seiner geballten Wucht traf.

»Äh, Mila, Mama hat 'ne Krise. Ich ruf nachher noch mal an. Ciao!«

Kaum hatte ich den Satz beendet, riss Mama mir den Hörer aus der Hand und knallte ihn mit voller Wucht auf den Apparat. »Hör mit dieser verdammten Telefoniererei auf! Siehst du nicht, dass ich Hilfe brauche!«

Klar sah ich das. Aber ob ich ihr die geben konnte? Das roch doch eher nach einem Fall für den Profi.

Als hätte sie meine Gedanken erraten, zischte sie: »Schau mich nicht an, als ob ich einen Irrenarzt bräuchte!«

8

»Aber Mama, das tu ich doch nicht.«

»Das tust du doch!«, keifte sie. Dann ließ sie sich auf die Dielenbank plumpsen und seufzte: »Manchmal glaube ich selbst, dass mir bei dieser Familie nur noch ein Psychiater helfen kann!«

Da musste ich ihr aber mal voll Recht geben. Mir ging es häufig nicht anders. Wer war schon wie ich mit einer derartigen Chaos-Familie geschlagen?! So verständnislose Eltern zu haben, war für eine sensible Seele wie meine mitunter kaum zu verkraften. Warum die beiden überhaupt Kinder kriegen mussten, wenn ihnen für deren Aufzucht offensichtlich die Nerven fehlten, war mir manchmal wirklich schleierhaft. Aber es war nun mal passiert und gleich dreimal hatte der Vervielfältigungswahn zugeschlagen. Das Ergebnis waren mein Bruder Martin, sechzehn, und darum Allesdürfer, Alleskönner und Allesbesserwisser, und meine kleine Schwester Motte, Nichtsdürfer, Nichtskönner und in alles Nasereinstecker. Tja, und ich. Ein typisches Dazwischenkind! In jeder Hinsicht. Martin war ganz die Mama, Motte ganz der Papa und ich … ich war wohl die brisante Mischung aus beiden. Sozusagen das, was den Reiz ihrer Ehe ausmachte: die gelungene Verbindung des Unvereinbaren! Mamas braune Augen, Papas rote Haare, Mamas kecke Nase, Papas große Füße, ihre freche Klappe und sein weiches Herz. Voll der coole Gencocktail!

Ich war inzwischen in die Knie gegangen, um die verstreuten Einkäufe einzusammeln. Noch einmal Tomaten, Nudeln, Reibekäse. Ich schichtete ein säuberliches Häufchen auf.

»Wo soll ich das Zeug hintun?«, fragte ich.

»In die Küche, irgendwohin, wo Platz ist.« Mamas Stimme klang resigniert.

»Willst du was trinken? Ich hol dir was.« Ich brachte ihr ein Glas Wasser, das sie in einem hastigen Zug austrank.

Sie wirkte wirklich ziemlich erledigt, als sie sauer sagte: »Ich bin es jetzt endgültig leid, dass du unser Telefon ständig durch Privatgespräche mit deinen geschwätzigen Freundinnen blockierst. Ab sofort hast du bis auf weiteres Telefonverbot!«

Wie bitte? Ich hörte wohl nicht recht. War ich im finsteren Mittelalter gelandet? Schlimmer konnte die Inquisition auch nicht gewütet haben. Telefonverbot hieß, dass ich von lebenswichtigen Informations- und Kommunikationskanälen abgeschnitten war. Das Leben würde an mir vorbeipulsieren. Ausgeschlossen vom abendlichen Rundruf meiner Freundesclique, würde ich überhaupt nicht mehr peilen, was Sache war. Wie hieß es doch so treffend: Wer nicht telefoniert, der verpasst das Leben. Was für eine grauenhafte Vorstellung! Genauso gut konnte ich in einem Kerker dahinvegetieren!

Meine Reaktion war entsprechend. »Das ist nicht dein Ernst! Das kannst du nicht machen!«, schrie ich verzweifelt.

»Das kann ich und das mach ich auch! Du fasst mir den Telefonhörer nicht mehr an!«

»Das sag ich Papa! Das verstößt nämlich gegen die Menschenrechte! Jawohl! Mindestens gegen das Grundgesetz!«

Nahm ich mal an. Das Recht auf Meinungsäußerung, Kommunikation und Information musste doch da irgendwo verankert sein.

Mama schien das egal zu sein. »Schreib Briefe, wenn du was zu sagen hast, oder sende ein Fax. Unser Telefon steht dir ab sofort für deine Mitteilungen nicht mehr zur Verfügung.«

Und um ihren Worten gleich Taten folgen zu lassen, zog sie den Stecker des Telefons aus der Wandbuchse, wickelte das Kabel um den Apparat und verschwand damit im Elternschlafzimmer.

»Was soll denn der Schrott!«, schrie ich ihr hinterher. »Jetzt kann ich ja nicht mal mehr Anrufe annehmen! Und du auch nicht und überhaupt niemand aus der ganzen Familie! Du solltest wirklich mal einen Irrenarzt aufsuchen!«

Ich konnte kaum noch an mich halten. Das war ja voll der Terror, was Mama da veranstaltete. Und nur, weil ich mich mal ein bisschen verplaudert hatte!

Aber damit kam sie nicht durch. Sie konnte nicht die ganze Familie vom Telefon abschneiden! Die anderen würden ihr was husten. Mein großer Bruder, meine kleine Schwester und natürlich Papa würden mir schon beistehen.

Mit dieser Gewissheit konnte ich Mama einigermaßen gelassen entgegensehen, als sie aus dem Schlafzimmer zurückkam.

»Mach keinen Stress«, bat ich sie, »lass uns das mal mit der ganzen Familie besprechen.«

Sie starrte mich mit höchst verwundertem Ausdruck an. »Das sagst du?«, fragte sie.

»Ja, warum nicht?«, erwiderte ich arglos.

Ich war wohl wirklich ziemlich blauäugig. Denn als ich beim Abendessen das Thema anschnitt, musste ich feststellen, dass der Rest der Familie sich keineswegs wie erhofft mit mir verbündete.

»Das war längst mal fällig!«, sagte mein Bruder Martin schadenfroh. »Seit Wochen blockierst du das Telefon. Kein Mensch erreicht einen.«

»Genau«, pflichtete Motte ihm bei. »Hanna ist immer am Telefonieren. Nie spielt sie mit mir!«

Und selbst Papa, von dem ich nun wirklich Schützenhilfe erwartet hatte, sagte: »Du weißt doch, dass ich das Telefon für geschäftliche Anrufe brauche. Wenn du den Anschluss blockierst, erreicht mich niemand und ich verliere womöglich Aufträge.«

»Aber deswegen könnt ihr mich doch nicht von aller Welt abschneiden!« Meine Stimme war schon wieder lauter, als ich eigentlich wollte.

»Schrei hier nicht rum!« Mama reagierte auch gleich allergisch.

»Ich schreie nicht! Ich rege mich nur auf!«, rief ich.

»Dann reg dich wieder ab«, sagte Martin trocken.

»Hanna soll nicht schreien«, quengelte Motte. »Ich mag nicht, wenn einer schreit!«

»Jetzt verängstige nicht auch noch das Kind!«, raunzte Mama mich an.

Zimperliche kleine Zicke! Ich schickte einen giftigen Blick zu meiner Schwester rüber.

»Aber ich brauche ein Telefon!«, jammerte ich. »Ich muss erreichbar sein!«

»Wir auch!« Mama war unbeeindruckt von meiner Seelenpein.

Aber irgendwie schien ich Papas weiches Herz gerührt zu haben. »Na ja«, meinte er bedächtig und strich sich dabei durch seinen roten Bart. »Ich kann Hanna ja verstehen. In der Pubertät hat man sicher besonders viel mit seinen Freundinnen zu besprechen.«

»Dass ich nicht lache!«, motzte Martin. »Wer hat sich denn je für meine Pubertät interessiert?«

»Bei Jungen äußert sich das anders«, blockte Papa ihn ab.

Ach? Da staunte ich aber. Ich konnte mich noch

gut erinnern, dass vor zwei Jahren auch Martin ständig am Telefon gehangen hatte.

Papa hatte inzwischen weitergeredet. Moment mal? Hörte ich recht? Was sagte er gerade?

»... sollten wir überlegen, ob wir Hanna nicht vielleicht ein Handy zum Geburtstag schenken.«

Ein Handy für Hanna? Das hieß ja ein Handy für mich! Aber ja, aber natürlich, aber klar doch! Warum war ich da nicht selbst drauf gekommen! Ein Handy für mich, das war doch *die* Lösung! Ich würde frei, unabhängig, immer und überall erreichbar sein, konnte von jedem Fleck der Erde aus telefonieren, Mila und Kati und alle wichtigen Menschen dieser Welt erreichen, und das alles rund um die Uhr! Ein Handy! Die absolute Redefreiheit! Super-mega-affengeil!

»Und wer soll das bezahlen?«, holte mich Mamas Frage wieder vom Olymp der Telekommunikation herunter.

»Die Tarife sind ziemlich happig«, gab Martin seinen Senf dazu und der Neid tropfte förmlich von seinen Worten herab.

»Aber ein Handy ist cool.« Wenigstens Motte unterstützte mich.

»Da müsste ich mich mal erkundigen«, sagte Papa. »Sicher kann man eine günstige Variante für Teenager finden.«

Oh ja, bitte! Einen Youngster-Dauer-Telefonier-Tarif zum Mini-Vorzugspreis, einschließlich formschönem Handy.

Gab's bestimmt irgendwo.

»Papa«, sagte ich vollkommen happy, »das ist ja voll supi von dir! Du bist wirklich ein Schatz!«

Und damit Mama sich nicht benachteiligt fühlte, sagte ich zu ihr: »Ach bitte, Mama, das ist so eine coole Idee. Bitte, schenkt mir ein Handy zum Geburtstag!«

Mama seufzte grottentief.

»Also, eigentlich finde ich es ja nicht gut, deiner Telefoniersucht auch noch Vorschub zu leisten ...« Sie registrierte meinen enttäuschten Blick. »Aber wenn Papa ein günstiges Angebot findet, soll es mir recht sein.«

Ich sprang auf, weil ich sie einfach in den Arm nehmen musste, und auch Papa bekam eine stürmische Umhalsung ab.

»Ihr seid doch die Besten«, jubilierte ich, stürzte auf die Diele hinaus und rief zurück: »Das muss ich gleich Mila sagen!«

Aber in der Diele sah mich nur die deprimierend leere Telefondose an. Ach je, hatte ich doch glatt vergessen, dass Mama das Telefon ins Schlafzimmer entführt hatte.

»Kann ich das Telefon aus dem Schlafzimmer holen?«, rief ich.

»Das Ding bleibt da drin!« Mama blieb stur. »Es sei denn, du hältst dich auch so an das Telefonierverbot.«

Ich schnaufte heftig. Machte sie doch tatsächlich Ernst.

Ich holte das Telefon aus dem Elternschlafzimmer und schloss es wieder an. So sehr es mich auch in den Fingern juckte, ich blieb standhaft. Ich würde Mamas Verbot einhalten.

Schließlich waren es nur noch wenige Tage bis zu meinem Geburtstag und dann, ja, dann konnte mir niemand mehr das Telefonieren verbieten. Denn dann würde ich, Hanna Pfefferkorn, ein eigenes Handy haben!

Irgendwie verlangte die Spannung in mir nach

Bewegung. Ich griff mir die Leine und Hans-Hermann, unseren leicht angegrauten Rauhaardackel, um einen kleinen Gang um den Block zu machen.

Unser Haus lag in der Kastanienallee. Sie war endlos lang und erstreckte sich von der Stadtmitte über die Ringstraße bis zum Stadtpark, in den ich gerne zum Joggen ging. In der Mitte wurde sie von einem breiten Grünstreifen zerteilt, auf dem mächtige alte Kastanienbäume standen. Sie hatten der Straße ihren Namen gegeben.

Ich setzte mich einen Moment auf die Bank zwischen den Kastanien und betrachtete nachdenklich das kleine Schaufenster von Mamas Buchladen, den sie im letzten Jahr von Opa übernommen hatte, als er krank geworden war und dann plötzlich starb. Ich hatte viele gemütliche Stunden mit ihm dort verbracht und auch jetzt traf ich mich häufig mit meinen Freundinnen Mila und Kati zu einem Tee- und Schmökerstündchen im Geschäft.

Ich stand auf und ließ mich von Hans-Hermann die Allee hinunter von Baum zu Baum zerren. Was musste das heute mal wieder gut nach läufigen Hündinnen duften!

Er führte sich auf wie die Typen aus meiner Klasse, die auch ständig jedem weiblichen Wesen hinterherschnüffelten.

Ich wohnte gerne in dieser Gegend. Ich weiß noch, wie glücklich Mama und Papa gewesen waren, als sie Opas Wohnung übernehmen konnten und den Mietvertrag unterschrieben.

Beschwingten Schrittes stieg ich, Hans-Hermann im Schlepptau, an den hellgelben Jugendstilkacheln vorbei die Steinstufen zu unser Wohnung hoch.

Der Gedanke an das Handy, das bald mir gehören sollte, stimmte mich absolut heiter! Wenn ich das morgen meinen Freundinnen erzählte, würden die bestimmt grün werden vor Neid.

»Genial!« Mila war entzückt von der Botschaft. »Du hast ja wirklich moderne Eltern.«

Kati seufzte neidvoll. »Das ist bei mir nicht drin. Meine Eltern haben bis jetzt nicht mal ein Tastentelefon angeschafft. An unserem alten Apparat wählt man sich noch die Finger wund. Technischer Fortschritt ist für die das reinste Teufelswerk!«

Mila und ich kicherten. Katis Eltern waren schon ein bisschen wunderlich.

»Aber Fernsehen habt ihr ja immerhin!«

»Auch so eine alte Kiste. Wenn die Wohnungsbaugesellschaft nicht überall Kabelanschlüsse eingerichtet hätte, könnte ich nicht mal Viva und MTV gucken.«

»Was für ein Verlust!«, spottete Mila.

»Ich bin jedenfalls froh«, sagte ich, »wenn meine Familie mich nicht mehr ständig beim Telefonieren stört. Man gerät ja in die peinlichsten Situationen.« Und für Mila fügte ich hinzu: »Tut mir übrigens Leid, dass ich dich gestern so einfach abgehängt hab, aber Mama hatte echt eine Krise.«

»Hab ich gehört«, sagte Mila verständnisvoll, »deine Mutter klang ganz schön abgedreht.«

»Sag ich doch, einfach peinlich. Behalte es bitte für dich.«

»Na klar, was denkst denn du. Meinst du, ich hänge gleich einen Zettel ans schwarze Brett: *Hannas Mutter ist echt peinlich!?*«

Wir kicherten erneut und schlenderten über den Schulhof zur Sporthalle.

Vor dem Eingang lümmelten bereits Mark und seine Mannen rum. Das war vielleicht ein Haufen.

»Alle voll notgeil«, sagte Mila in der ihr eigenen Direktheit. Als Tochter einer allein erziehenden Geschäftsfrau steuerte sie stets ihre voll emanzipierte Weiblichkeit bei und kein Typ brachte sie aus dem Konzept!

Bei mir und Kati war allerdings Alarmstufe rot angesagt.

»Ach du ausgelutschter Lolli«, stöhnte ich, »was belagern denn die schon wieder den Turnhalleneingang?«

Die wollten doch nur, dass wir uns zwischen ihren Bodys durchquetschen mussten. Einfach ätzend. Wenn das jetzt schon so losging, konnten wir uns beim Basketball ja mal wieder aufs große Abtatschen einstellen.

Ich wurde sauer. Was bildeten die sich eigentlich ein? Mein wütender Blick blieb an Knolle hängen. Eigentlich hieß er Karl, aber so nannte ihn niemand mehr, seit Mark festgestellt hatte, dass seine Nase wie eine Kartoffelknolle aussah. Damit hatte er seinen Spitznamen weg. Ich starrte erbost seine Knollennase an. Der Typ sollte mir bloß nicht komisch kommen!

»Mach Platz!«, zischte ich.

Instinktiv hatte ich erkannt, dass mit Knolle das schwächste Glied der Jungenclique vor mir stand.

Eilfertig verdrückte er sich ins Mittelfeld, bekam aber von dort einen Schubs, der ihn direkt gegen mich schleuderte. Das brachte mich aus dem Gleichgewicht und ich stolperte in Marks bereits einladend geöffnete Arme. Grr! Diese hinterlistigen Kerle! Ich hatte es doch geahnt.

»Hey, Hanna«, tönte Mark gleich los und schlang seine Arme fester um mich. »Wohl ein bisschen unsicher auf den Beinen heute?«

»Nimm deine Griffel weg«, schnauzte ich ihn an und versuchte mich aus seiner Umklammerung zu befreien.

»Warum so zickig?«, sagte er grinsend, ohne im Mindesten locker zu lassen. »Ich will dir doch nur helfen.«

»Darauf kann ich verzichten!«, giftete ich. »Lass mich sofort los oder ich schreie!«

Das wirkte. Er ließ mich allerdings so abrupt los, dass ich jeglicher Stütze beraubt nach hinten taumelte und sicher zu Boden gegangen wäre, wenn Mila und Kati mich nicht aufgefangen hätten.

»Mistkerl!«, schimpfte ich, während ich mich wieder aufrappelte.

»Der ist scharf auf dich«, sagte Kati, »das war 'ne ganz eindeutige Anmache.«

»Meinst du wirklich, dass Mark mich angraben wollte?«, fragte ich erschüttert.

Kati zuckte mit den Schultern. »Tja, weiß man's? Es könnte schon sein. Bist ja schließlich nicht die Hässlichste.«

Und Mila setzte in aller Unschuld noch eins drauf, indem sie sagte: »Da kannste dir jetzt aber echt was drauf einbilden, der hat sonst immer nur ältere Freundinnen!«

Na schön doch, dachte ich, dann wollen wir mal sehen, wen seine Griffel heute beim Spiel häufiger berühren, den Basketball oder mich?

Natürlich interessierte ihn der Ball überhaupt nicht. Ständig machte er bei mir Mann- bzw. Fraudeckung. Ich war kurz vorm Ausrasten, als es auch unserem Sportlehrer Sprinter zu bunt wurde. »Mark, könntest du dein Interesse vielleicht etwas mehr auf den Ball statt auf Hanna richten? Wenn du die Hände gelegentlich freihättest, könnte dich auch mal jemand anspielen!«

Allgemeines Gekicher. Danach hatte ich etwas Ruhe und als Sprinter »Auswechseln!« rief, ließ ich mich erleichtert auf die Bank plumpsen.

»Warum müssen wir unbedingt mit diesen blöden Heinis Mannschaftssport betreiben?«, stöhnte ich. »Könnten die für uns nicht mal eine reine Frauensportgruppe anbieten?«

»Ja, Jazzgymnastik oder so was, mit einer Sportlehrerin. Nichts gegen Sprinter, aber mir ist das immer voll peinlich, wenn ich mal nicht mitmachen kann und er dann anzüglich was von ›Frauenkrankheit‹ murmelt.«

Wir kicherten, weil Mila Sprinters Tonfall so treffend nachgemacht hatte. Tja, die reiferen Lehrerjahrgänge hatten da wohl noch so eine gewisse Verklemmung.

»Dass ausgerechnet Sprinter die Sport-AG leitet, finde ich reichlich blöd«, sagte ich. »Hoffentlich bringt es was. Aber für den Nachtlauf tue ich alles!«

Kati lachte. »Und wir tun alles für dich! Lassen uns von Sprinter in der AG knechten, obwohl wir mit dem Laufen nicht mal einen Blumentopf gewinnen können.« Kati warf Mila einen leidenden Blick zu, der sagen sollte: Sind wir nicht wahre, aufopferungsvolle Freundinnen?

Der Nachtlauf war eine Art Volkslauf und das sportliche Mega-Ereignis in der City. Für die Schulmannschaft zu laufen war mein heimlicher Traum, für den ich eifrig trainierte und für den ich sogar Sprinter in Kauf nahm.

»Aber du hast gute Chancen«, sagte Mila zu mir. »Der Sprinter wird dein Talent schon noch erkennen.«

Na hoffentlich!

In der miefigen Umkleidekabine war dann noch mal Mark das Thema. Natürlich war es keiner meiner Klassenkameradinnen verborgen geblieben, wie er sich an mich rangeschmissen hatte. Auch Vanessa nicht. Der supertollen, aufgestylten Vanessa, der alle Jungen des Jahrgangs zu Füßen lagen. Bis auf einen, und genau auf den hatte sie es abgesehen. Und dieser eine war Mark. Klar, dass ihr überhaupt nicht gefiel, was sie soeben gesehen hatte.

Sie strich ihr mega-enges Top über ihren weiblichen Rundungen glatt und baute sich vor mir auf. »Mit Mark fängst du aber nichts an.«

»Willst du es mir verbieten?«

»Mark hat doch gar kein Interesse an dir.« Sie ging auf meine Frage überhaupt nicht ein.

»Aber an dir, oder was?«, mischte Mila sich in das Gespräch.

»Mit dir rede ich nicht«, zischte Vanessa sie an.

Ich nahm meine Sporttasche und zog Mila zur Tür. »Lass sie bloß«, sagte ich, »das lohnt sich doch gar nicht, sich mit der zu streiten. Die soll sich mit ihrem Mark einsargen lassen. Die ätzen mich beide an.«

Und da diese Aussage an Klarheit und Wahrheit nicht mehr zu übertreffen war, erübrigte sich jeder weitere Kommentar.

Am Nachmittag traf ich Papa in der Stadt. Wir wollten gemeinsam das Handy und den günstigsten Tarif aussuchen.

»Damit du uns nicht arm machst!«, sagte er mit verschmitztem Lächeln.

Wenn ich gedacht hatte, wir müssten nur mal eben in ein Kaufhaus gehen und in der Elektronikabteilung ein hübsches Teil aussuchen, so hatte ich mich gewaltig geirrt.

Nach dem ersten Beratungsgespräch durch eine geschulte Fachverkäuferin konnte ich nur sagen: »Ich blick da ja voll nicht durch!«

Und auch Papa schnaufte leicht verzweifelt: »Das ist offenbar eine Wissenschaft für sich!«

Wir gingen erst mal einen Kaffee trinken.

»Also, was meinst du?«, fragte ich. »Nehmen wir ein billiges Gerät mit einem teuren Vertrag oder ein teures mit billigem Vertrag? Oder ist vielleicht eins mit Guthabenkarte besser?«

Papa sah mich unentschlossen an und rührte dann seltsam lange seinen schwarzen Kaffee um. »Und welches Netz nehmen wir?«, fragte er schließlich. »E-plus, D1, D2 ...«

Ich schüttelte den Kopf. »Keine Ahnung. Lass uns noch einen Versuch im T-Punkt machen. Vielleicht war die Fachverkäuferin einfach nicht genügend geschult.«

Papa nickte. »Wenn die was von ihrem Fach verstehen würde, hätte sie uns jedenfalls nicht ohne Handy ziehen lassen.«

Also starteten wir den nächsten Versuch. Diesmal gerieten wir an einen Telekommunikationsberater. Der Mensch war zumindest in der Lage, uns die Vorteile eines bestimmten Anbieters aufzuzählen und offerierte dazu auch noch den von mir erhofften Sondertarif für junge Leute.

Seinen besten Köder warf er aber erst am Ende aus: Eine Unzahl der poppigsten Handymodelle, die man sich vorstellen konnte. Natürlich alle mit den unterschiedlichsten Vorzügen. Da konnte man besonders billig eine Lieblingsnummer anrufen oder zu Vorzugspreisen Citygespräche führen, Mondscheintarife für die Hälfte nutzen oder Short Messages verschicken – was immer das auch war.

Wer die Wahl hat, hat die Qual. Die nächste Kaffeepause war fällig.

»Wenn ich nur eine Lieblingsnummer billiger habe, bringt das gar nichts«, sagte ich zu Papa, »schließlich habe ich zwei Lieblingsfreundinnen.«

Papa lächelte verschmitzt. »Und wenn dann noch ein Freund dazukommt …! Da brauchst du dann wohl den Mondscheintarif.«

»Ach, Papa«, seufzte ich. »Das ist ja vielleicht schwierig.«

Als wir dann, wild entschlossen nun endlich zu Potte zu kommen, wieder bei dem Telekommunikationsberater aufliefen, hatte der bereits Feierabend. Der Kollege, der ihn ersetzte, hielt uns offenbar für Analphabeten und technologische Nullen. Jedenfalls begann er mit dem resignierten Tonfall einer ausgeleierten Drehorgel seinen Standardtext herunterzuspulen. Schließlich reichte es mir.

»Ich will das Neongrüne!«, sagte ich. Aber leider passte es nicht zu dem Vertrag, den Papa gerne gehabt hätte.

»Ich kann Ihnen dazu aber ein Sonderpaket anbieten«, sagte der Verkaufsmensch tröstend.

»Na, wenn das mal keine Mogelpackung ist«, warnte ich Papa.

»Noch einen Kaffee?«, fragte der.

Ich schüttelte den Kopf. Mein Kreislauf war

inzwischen so hochgepeitscht, dass ich mir das nicht mehr zumuten konnte.

»Wollen wir Streichhölzer ziehen?«, schlug Papa vor.

Der Beratungsjüngling erstarrte.

»Okay«, sagte ich, »aber nur, wenn ich das Neongrüne kriege.«

Der Typ gab auf. Er verschwand kurz und kam dann mit einem Karton aus dem Lager.

Er packte das grüne Handy aus. »Es ist zwar eigentlich nicht in diesem Paket drin, aber Sie bekommen es umsonst, wenn Sie einen Zweijahresvertrag abschließen.«

Bei diesen Worten lächelte er mich an, als wolle er höchstpersönlich bei mir als Lieblingsnummer einprogrammiert werden oder den Mondscheintarif ausnutzen.

Ich strich mir irritiert die Haare aus der Stirn und versuchte trotz der aufsteigenden Röte in meinen Wangen sachlich zu bleiben. »Ist das auch kein Trick?«, fragte ich, sah mich aber schon voll im Besitz des süßen, kleinen neongrünen Handys.

Der Telekommunikationsmensch zählte noch einmal alle Vorteile seines Vertrages auf, hob die zahlreichen Funktionen des Handys und seine formschöne Ausführung hervor, betonte, wie wichtig es sei, dass es so besonders klein und leicht sei, und lief tatsächlich beratungsmäßig so zur Topform auf, dass Papa schließlich voll von seiner Kompetenz überzeugt war und den Vertrag unterschrieb.

»Die Zahlen entscheiden!«, sagte er dabei, um nur ja nicht den Eindruck aufkommen zu lassen, er hätte sich von dem jungen Mann einsülzen lassen.

Dann war der nächste Kaffee doch fällig, denn

das Teil musste programmiert und freigeschaltet werden, bevor wir es mitnehmen konnten.

»Danach kann die junge Dame dann gleich damit ihre Lieblingsnummer anrufen«, sagte der junge Mann und kriegte voll den Dackelblick.

Aber Papa meinte trocken: »Das glaube ich nicht. Die junge Dame wird erst mal ihren Geburtstag abwarten müssen.«

Endlich war er da. Der heiß ersehnte vierzehnte Geburtstag.

»Alles Liebe«, sagte Mama und auch Papa und Motte gratulierten ganz lieb.

Nur Martin musste mal wieder seiner Neigung zum Makabren frönen. »Na, dann pass jetzt aber mal schön auf. Ab heute bist du strafmündig und stehst beim Schwarzfahren in der Straßenbahn mit einem Bein im Knast!«

»Aber Martin!« Mama fand das gar nicht witzig.

Doch Martin grinste nur frech und sagte: »Wenn's doch stimmt!«

Das schönste Geschenk war natürlich das Handy.

Sobald alle Glückwünsche entgegengenommen waren, schnappte ich es mir und zog mich damit in mein Zimmer zurück. Schnell schaltete ich es ein, tippte die Pinnummer ein und wählte dann Milas Nummer.

Als sie sich meldete, jubelte ich: »Hey, Mila! Wir sind es: Hanna und ihr Handy!«

Flirt mit geheimen Mächten

Das Handy wurde ein echter Kumpel. Tagsüber trug ich es mit einem Klipp an der Hose oder in der Jackentasche und abends legte ich es neben meinem Kopfkissen zur Ruhe.

»Schlaf gut«, sagte ich liebevoll, bevor ich es ausschaltete, um den Akku zu schonen. Manchmal musste ich es allerdings auch zum Aufladen in seine Versorgungsstation packen. Die stellte ich auf das Tischchen neben meiner Liege.

»Nun futter dich mal schön voll«, empfahl ich fürsorglich, »damit du morgen wieder fit bist und Hanna mit ihren Freundinnen abratschen kann.«

Und zu ratschen gab es jede Menge, denn die Sek-I-Fete stand vor der Aulatür und die Sache mit dem Flirt-Shop hatte sich nach und nach von einer fixen Idee zu einem ganz konkreten Projekt entwickelt.

Und als unsere Klassenlehrerin, Frau Kempinski – »Nicht verwandt mit der bekannten Hotelkette« –, eines Morgens fragte, wer denn was zu dem Mega-Ereignis Sek-I-Fete beitragen wolle, da meldeten wir drei uns kühn.

»Ja bitte, Hanna, was möchtest du machen? Einen Nudelsalat wie im letzten Jahr?«

Nudelsalat?! Nein, wie peinlich! Wie sollte ich denn jetzt die Kurve zum Flirt-Shop kriegen?

Aber Mila platzte schon kichernd in meine unfertigen Gedanken. »Nee, keinen Nudelsalat. Eher Beziehungssalat!«

Jetzt sperrten aber einige ganz schön verwundert Augen und Ohren auf und auch Frau Kempinski wiederholte erstaunt: »Beziehungssalat? Kannst du das vielleicht etwas näher erläutern, Mila?«

Mila konnte. »Hanna, Kati und ich haben gedacht, wir machen einen Stand auf. Einen Stand für Beziehungsberatung.«

Und als der irritierte Ausdruck auf Frau Kempinskis Gesicht noch immer nicht weichen wollte, fügte ich hinzu: »So eine Art Flirt-Shop. Partnerberatung. Wir beraten, wer zu wem passt, und vermitteln während der Fete Kontakte. *Blind Dates*. Nicht kostenfrei, aber unverbindlich. Die Einnahmen spenden wir dann für das Sahelprojekt.«

»Da nehmt ihr doch keine müde Mark ein«, machte Vanessa unsere Idee sofort mies. Scheinheilige Ziege, dachte ich. Die würde doch garantiert als Erste bei uns auftauchen, um einen Typ vermittelt zu kriegen. Aber da konnte sie Gift drauf nehmen, wir würden sie schon passend beraten. Ich kicherte innerlich bereits schadenfroh. Bei Mark jedenfalls würde sie nicht landen, solange wir es irgendwie verhindern konnten.

Mittlerweile war bei Frau Kempinski und auch bei den meisten Mitschülern der Groschen gefallen. Klar, dass die Meinungen geteilt waren. Die Jungen begrüßten unsere Idee mit großem Hallo, während die meisten Mädchen sich in Skepsis und Zurückhaltung übten.

In der großen Pause mussten wird darum erst mal unsere Klassenkameradinnen beruhigen.

»Also, das ist ganz seriös«, sagte ich. »Kati legt die Karten und liest aus den Handlinien. Richtig professionell. Das hat sie nämlich alles von ihrer Mutter gelernt.«

»Die ist doch eine stadtbekannte Hexe!«, stänkerte Vanessa erneut. Offensichtlich war sie sauer, weil sie nicht auf diese glorreiche Idee gekommen war.

»Quatsch«, sagte Kati. »Nur weil sie einen Esoterik-Shop hat, ist meine Mutter doch keine Hexe.« Und in Anspielung auf den Metzgerladen von Vanessas Eltern fügte sie grinsend hinzu: »Dein Vater ist ja schließlich auch kein Sülzkotelett.«

Damit hatten wir die Lacher auf unserer Seite und Vanessa trollte sich beleidigt.

Am Nachmittag saß ich über den Aufgaben und starrte mein Handy an. Warum klingelte es nicht? Ein Schlager ging mir durch den Kopf … *Kein Schwein ruft mich an, keine Sau interessiert sich für mich …* Warum hatte ich ein Handy, wenn es niemanden danach dürstete, mit mir zu telefonieren? Sollte ich? Nee, besser nicht, das wurde auf die Dauer zu teuer, selbst mit verbilligter Lieblingsnummer, Citybonus und Mondscheintarif. Ich werkelte lustlos an meinen Matheaufgaben herum und hatte den Eindruck, mal wieder gar nichts zu peilen.

Am nächsten Morgen stieg ich, sehr gespannt darauf, ob Frau Kempinski ihre Zustimmung zum Flirt-Shop geben würde, aus dem Bett.

»Kind, beeil dich ein bisschen!«, rief Mama an der Tür zum Badezimmer. »Wir hatten heute Nacht einen Stromausfall, die Uhren sind alle stehen geblieben. Du bist spät dran!«

Himmel, das war ja ein schöner Tagesbeginn!

Aber beim Blick auf meine Armbanduhr stellte ich fest, dass ich den Bus mit Ach und Krach noch kriegen konnte. Also verzichtete ich auf das Frühstück, kippte nur hastig einen Schluck Tee runter, zog die Jacke an, raffte alles Nötige zusammen und stürzte aus dem Haus.

Genauso hastig stürzte ich im wahrsten Sinne des Wortes in den Bus hinein. Irgendeine freundliche Seele hatte mich heranjagen sehen und noch mal die Tür aufgedrückt. Ich stolperte die Stufe hoch und schmiss, weil ich zum Abstoppen meines freien Falls mit beiden Händen zur Haltestange greifen musste, meine Schultasche quer durch den Bus. Die verstreute ihren gesamten Inhalt den Gang entlang bis zur hinteren Sitzbank. Voll verlegen ging ich in die Hocke und bemühte mich alles wieder einzusammeln. Die Blicke der untätigen Mitfahrer spürte ich wie einen heißen Laserstrahl im Genick.

Ich robbte mich langsam im Watschelgang bis nach hinten durch. Gerade hatte ich mein Mäppchen erwischt und blickte vom Boden auf. Huch! Beinahe wäre ich mit einem fremden Kopf zusammengestoßen. Es durchzuckte mich wie ein Blitzschlag, als ich plötzlich in zwei intensiv blaue Augen sah. Einen Moment konnte ich mich gar nicht davon losreißen und blieb erstarrt in der Hocke sitzen. Dann rappelte ich mich auf und stellte fest, dass diese magischen Augen zu einem Jungengesicht gehörten, das eine verdammte Ähnlichkeit mit einem bekannten und äußerst umschwärmten Schauspieler hatte.

Ich holte tief Luft. Der Junge lächelte freundlich und drückte mir wortlos ein paar Hefte und das Englischbuch in die Hand. Nein, wie lieb! Hatte er doch tatsächlich meinen Kram aufgehoben. Mein

Kopf wurde ob dieser Gunstbezeugung noch röter, als er ohnehin schon sein musste.

Meine Güte, was für ein gut aussehender Typ! Wo kam der denn her? Ich konnte mich nicht erinnern, ihn jemals zuvor im Bus gesehen zu haben.

»Da-da-danke ...«, stotterte ich immer noch völlig von der Rolle und ließ mich mit meinen gesammelten Werken auf den nächstbesten Sitz fallen. Dort verstaute ich alles wieder in der Schultasche. Ab und zu warf ich einen verstohlenen Blick zur Rücksitzbank, wo der Typ inzwischen wieder Platz genommen hatte.

Ich atmete tief durch. Was war denn los mit mir? Halt an dich, Hanna, redete ich mir gut zu. Wer wird sich denn von einem hergelaufenen Jüngling so hinreißen lassen! Ich seufzte tief.

Und als ich an der Schule aussteigen musste, schielte ich noch mal mit einem sehr merkwürdigen Gefühl im Bauch zu ihm rüber. Hatte da was in meinen Eingeweiden geflattert?

Nachdem sie erst einmal eine Nacht darüber geschlafen hatte, fand Frau Kempinski an unserer Idee richtig Gefallen.

»Das ist wirklich mal etwas anderes«, sagte sie in der Deutschstunde zu uns. »Das dient zweifellos der Kommunikation. Sagt mir, wenn ihr irgendwelche Hilfe braucht.«

Wir bedankten uns, waren aber sicher, darauf nicht angewiesen zu sein, schließlich saßen wir an der Quelle.

Die Quelle war der Esoterik-Shop von Katis Mutter. Er lag neben der Heilpraxis ihres Vaters im Hinterhof einer etwas heruntergekommenen Gründerzeitvilla im Musikerviertel.

Wir trafen uns von nun an regelmäßig bei Kati zum Tee, um unseren Stand für die Fete vorzubereiten. Umhüllt vom Duft des frisch gebrühten Yogi-Tees hockten wir auf dicken Sitzkissen in Katis Zimmer.

»Zucker?« Mila hielt Kati die Dose hin.

»Himmel, nein! Ich mache doch Diät!«

Mal wieder, dachte ich und konnte gar nicht verstehen, was Kati an ihrer Figur missfiel. Ich jedenfalls fand sie nicht zu dick. Immerhin hatte sie schon einen richtigen Busen. Gegen sie sah ich noch vollkommen unfertig aus – und so fühlte ich mich leider auch häufig.

Ich sah zu, wie Mila ihren Tee kräftig süßte. Die hatte nun überhaupt keine Probleme mit ihrer Figur und durch ihre samtig dunkle Hautfarbe wirkte sie immer, als käme sie frisch von Mallorca. Ich hingegen sah aus wie ein sommersprossiger Weichkäse! Seufzend stellte ich mein Teeschälchen ab.

»Erst mal müssen wir einen Stand bauen«, meinte Mila.

»Wir könnten ein Zelt nehmen«, schlug ich vor. »Wir haben noch so ein altes Hauszelt. Das müssten wir nur ein bisschen geheimnisvoll dekorieren.«

»Das ist kein Problem.« Kati war gleich bei der Sache. »Schau mal in die Truhe. Da habe ich jede Menge indische Tücher.«

Begeistert wühlten wir in Katis Schätzen und legten allerlei für das stilechte Ausschmücken unseres Standes auf einen Haufen.

»Das wird ganz toll«, sagte ich voller Vorfreude, »richtig mystisch. Und wenn dann Kati ihre Horoskope stellt ... wirklich genial!«

»Kannst du das mit den Horoskopen nicht übernehmen, Hanna?«, fragte Kati.

»Iiiich?«, rief ich völlig verblüfft. »Aber davon habe ich doch gar keine Ahnung!«

»Ach, das ist nicht schwer. Du brauchst nur nach den Geburtsdaten und Sternzeichen zu fragen und dann in einem astrologischen Buch nachzuschlagen, welche Sternzeichen zusammenpassen und welche nicht.«

»Und du meinst, ich bringe das glaubwürdig rüber?« Ich zweifelte an meiner diesbezüglichen Begabung.

»Aber voll. Das kriegst du locker hin.«

Auch Mila war ganz optimistisch. »Wenn du willst, kannst du ja auch die chinesischen Tierkreiszeichen und das keltische Baumhoroskop anbieten. Gegen Aufpreis natürlich.«

Das klang interessant. Außerdem erinnerte ich mich, dass Mama in ihrem Buchladen auch so eine Ecke hatte, in der Bücher über Astrologie und Geheimwissenschaften standen.

»Dann guck doch da erst mal nach«, empfahl Kati. »Wenn du nichts findest, kann ich ja meine Mutter noch mal anzapfen.«

Damit war beschlossen, dass ich für die Partnerhoroskope zuständig war. Mystik, lass los!

»Und was machst du?«, wollte ich ja nun doch neugierig von Kati wissen.

Sie griff hinter sich und zog eine kleine, reich mit indischen Schnitzereien verzierte Sandelholztruhe hervor. Darin befanden sich eine ganze Menge Kartenspiele und ein paar dicke Bücher.

»Voilà!«, lachte Kati »Meine Tarotsammlung! Aquarian-Tarot, Rider-Waite-Tarot, Hexen-Tarot, Zigeuner-Tarot, Tarot Stein der Weisen!«

Himmel, das war ja der versammelte Kartenschatz des Aberglaubens!

»Cool!«, staunte Mila.

Ich packte ein paar Karten aus und sah mit leichtem Schauder die symbolhaften Bilder an: der Gehängte, der Tod, ein brennender Turm, das Rad des Schicksals …

»Sag mal, ist das nicht ein etwas seltsames Hobby?«, fragte ich und konnte eine leichte Beklemmung nicht leugnen.

»Nicht, wenn frau eine Hexe als Mutter hat«, kicherte Kati.

»Und was genau macht man damit?«, wollte Mila wissen.

»Die Zukunft vorhersagen!«, meinte Kati trocken. »Tarotkarten sind Wahrsagekarten.«

»Ist nicht wahr!« Ich wurde nun doch neugierig. »Und so was kannst du?«

»Na ja, ich weiß jedenfalls, wie man sie auslegen und abfragen muss.«

»Aber das nimmst du doch nicht ernst, oder?«, fragte ich misstrauisch. Wahrsagen, die Zukunft deuten … tzzz!

Aber Mila war nicht mehr zu bremsen. Sie hatte auch ein Tarotspiel aus der Truhe genommen und betrachtete es nun im Kerzenschein. »Tarot der Liebe«, las sie entzückt vor. »Das ist ja genau das, was wir brauchen!«

Das Deckblatt zeigte zwei knallrote Herzen. Wie romantisch. Das würde bestimmt der Knüller in unserem Flirt-Shop werden.

»Nehmen wir die?«, fragte ich.

Kati nickte. »Wollte ich auch vorschlagen. Es sind zwar nur die zweiundzwanzig großen Arkana, aber das reicht für unseren Zweck.«

»Die zweiundzwanzig was?« Ich starrte Kati verständnislos an.

»Die großen Arkana sind die Hauptschick-salskarten. Mit denen legt man das keltische Kreuz.«

»Ah ja.« Ich begriff langsam, warum das Ganze Geheimwissenschaft hieß. Das war ja wohl alles nur für Eingeweihte zu verstehen!

»Mach es mal vor«, sagte Mila wissensdurstig, und zu mir gewandt: »Du hast doch bestimmt nichts dagegen, wenn wir es gleich mal an dir aus-probieren? Ich würde zu gerne wissen, wie sich dein Liebesleben in Zukunft gestaltet!«

»Spinnst du!«, wehrte ich mich empört, konnte allerdings nicht verhindern, dass sofort das Bild des Jungen aus dem Bus vor meinem inneren Auge auftauchte. Ich hätte ja schon ganz gerne gewusst, ob es mit dem und mir irgendwie weitergehen würde.

Mila ließ nicht locker. »Komm, Kati, leg Hanna mal die Karten!«

Kati lachte und begann das Tarot zu mischen. Da half nichts – die beiden waren sich einig und ich war dran.

»Wir müssen es auf jeden Fall mal ausprobieren. Schon um zu sehen, wie lang so 'ne Sitzung dauert. Also stell dich nicht so an.«

Kati breitete ein schwarzes Tuch auf ihrem schö-nen indischen Teppich aus und begann darauf die Karten verdeckt auszulegen.

Als sie sie nacheinander aufdeckte, konnte ich meine Nervosität kaum noch bändigen.

Ganz so Schlimmes schien mir nicht bevorzuste-hen, denn die Karten wirkten einigermaßen freund-lich. Kein Gehängter, kein Tod, kein Teufel.

»Sieh an, sieh an«, sagte Kati und freute sich die-bisch. »Unsere Hanna! Was haben wir denn da?

Den *Hohepriester* und die *Liebenden* und dann noch die *Sonne* in der Zukunft. Das sieht ja nach einer allerheftigsten Romanze aus.«

Obwohl ich nicht an das Zeug glaubte, durchrieselte es mich erwartungsvoll und gleich musste ich wieder an diesen toll aussehenden Jungen aus dem Bus denken. Trotzdem sagte ich abwehrend: »Davon merke ich aber noch nichts.«

Kati schaute noch einmal auf die Karten und deutete auf eine auf dem Kopf liegende Karte im Zentrum. »Diese Karte symbolisiert Hindernisse. Sie gibt Hinweise darauf, was der Vollendung dieser Romanze im Wege steht.«

Ah ja, wusste ich's doch, es gab einen Haken. Hatte ja zuerst auch viel zu positiv geklungen! Die Karte zeigte einen Mönch mit einem Wanderstab. *Der Eremit*, stand darunter.

»Was bedeutet das?«, fragte ich nun höchst gespannt.

»Hm, umgedreht deutet sie auf Heimlichkeiten, Irreführungen und Verstellung hin. Ich würde sagen, da liebt dich einer, der sich nicht zu erkennen geben will, der ein Versteckspiel mit dir spielt.«

Sie sammelte die Karten mit einer lässigen Handbewegung ein. »Aber, das kann dir ziemlich egal sein. Am Ende bescheint die Sonne eure Liebe. Das ist das Einzige, was zählt.«

Sie begann die Karten neu zu mischen. »Na, du auch mal, Mila?«

Mit einem Blick auf die Uhr wehrte Mila ab. »Nee, ich muss gleich los. Aber das machen wir auf jeden Fall in unserem Flirt-Shop. Tarot der Liebe kommt echt gut. Und wenn du bei unseren ganz speziellen Freunden ein bisschen tricksen kannst, wird das voll der Joke.«

Wir kicherten wie drei listige Hexen und Kati sagte: »Ich denke, das wird sich einrichten lassen.«

Na denn!

Ich lag schon im Bett, als mein Handy dudelte.

Es war Mila. Sie war so begeistert von unserem Flirt-Shop, dass sie unbedingt noch ein bisschen darüber reden musste.

»Und was machst du denn nun eigentlich, Mila?«, wollte ich schließlich wissen.

»Ich mache 'ne Typ- und Stilanalyse für Partnerberatung.«

»Und wie geht das?«

»Na ja, mit einem Fragebogen. Ich frag nach Vorlieben und Abneigungen. Ich lass die Leute zum Beispiel ihre Lieblingsfarben, Lieblingsklamotten und Lieblingsmusik nennen. Je mehr Übereinstimmungen dann die Fragebögen aufweisen, umso besser passen sie zusammen.«

Ich stand noch auf der Leitung. »Und wie kriegen wir die Pärchen zusammen?«

»Kein Problem«, sagte Mila. »Jeder, der sich beraten lässt, kriegt auf Wunsch im Laufe des Abends von uns einen passenden Partner und ein *blind date* mit ihm zugewiesen.«

»Ja gut, aber wie finden wir den Partner raus? Die Ratsuchenden müssen doch anonym bleiben.«

»Ganz einfach. Bei Abgabe ihres Fragebogens kriegen die Jungen einen blauen und die Mädchen einen roten Herzsticker mit 'ner Kodenummer. Und wenn alles ausgewertet ist, schreibe ich auf eine große Wandzeitung in der Disko, welche Herznummern zusammenpassen. Und bei dir machen wir es genauso, nur dass es silberne und goldene Sterne für jedes Horoskop gibt, das du gestellt hast. Und dann machen wir eine Stunde der Wahrheit, wo sich alle in der Disko versammeln und ihren Partner finden müssen.«

Ich musste lachen, als ich mir das Gewusel vorstellte. »Toll, das wird der Hit!«

Am nächsten Tag ging ich nach der Schule gleich zu Mama in den Buchladen.

»Hey«, sagte ich, »hast du ein Buch über Astrologie, wo Partnerschaftshoroskope drinstehen?«

Sie schaute mich verwundert an. »Klar, habe ich, aber seit wann interessierst du dich für Partnerschaftshoroskope?«

O-oh, jetzt kriegte sie doch tatsächlich diesen sorgenvollen Blick, den Mütter offenbar immer bekommen, wenn sie vermuten, dass ihre Tochter einen Freund hat. So eine Mischung aus Ach-Gott-auch-das-noch-dafür-bist-du-doch-noch-viel-zu-jung und Sag-es-mir-ruhig-ich-bin-doch-deine-beste-Freundin.

»Du täuschst dich«, sagte ich. »Ich habe keinen Freund. Es geht um einen Spielstand, den wir auf der Sek-I-Fete machen wollen.«

Natürlich war sie rasend neugierig und ließ sich nicht so einfach abspeisen. Also erzählte ich ihr, was wir vorhatten, und sie revanchierte sich sofort für das Vertrauen, indem sie mir ein leicht verständliches, aber angeblich topaktuelles Horoskopbuch auslieh. Es hatte den Titel *Neue Astrologie* und enthielt alles über die hundertvierundvierzig westöstlichen Tierkreiszeichen. Also eine Mischung aus westlicher und chinesischer Sterndeutekunst.

Abends kuschelte ich mich gemütlich ins Bett, holte das Buch und eine Tafel Schokolade und zog mir beides rein.

Las sich ja wirklich äußerst spannend, das Buch. Da lernte ich gleich eine Menge über mich.

Zum Beispiel stellte ich fest, dass ich nach dem chinesischen Horoskop ein Tiger war. Ich legte den Kopf auf meinen abgeliebten Kuscheltiger und flüsterte ihm zärtlich ins Ohr: »Hörst du, Kumpel, ich gehöre auch zum Club. Grrr!«

Tiger sind aufrichtige Menschen, las ich. Klar, ich war die Aufrichtigkeit in Person. »Nicht das mindeste diplomatische Geschick«, sagte Mama immer, »du mit deiner unmöglichen Direktheit!« *Manchmal werden sie durch die Umstände gezwungen, kleinere Verbrechen zu begehen.* Aha, damit waren wohl meine Mogeleien in der Schule gemeint. *Tiger suchen sich die merkwürdigsten Partner und nicht selten bleiben sie an einem leicht Verrückten hängen.* Na, das war ja mal wieder was! Voll krass! *Tiger haben fließende, anmutige Bewegungen, die Arme baumeln locker und die Schultern sind zurückgenommen.* Schrill! Das war mir ja nun noch gar nicht aufgefallen. Musste ich gleich mal im Spiegel kontrollieren. Hm, wie ich so verschlumpft in meinem ausgeleierten Pyjama davor stand, konnte ich meinem Spiegelbild allerdings nicht ganz die beschriebenen Qualitäten abgewinnen. Da musste ich wohl ein bisschen an mir arbeiten. War aber ein guter Tipp. Ich plumpste wieder ins Bett. *Tiger sind hitzig und leidenschaftlich.* Wow! War ja unglaublich, was da so in mir steckte! Allerdings kamen mir nun doch Zweifel, ob das alles tatsächlich in den Sternen stehen konnte.

Ich griff zum Handy und wählte Milas Nummer. »Du, das ist wirklich beängstigend. Der Charakter eines Menschen kann doch nicht schon bei seiner Geburt so genau durch die Sternenkonstellation festgelegt sein. Da hat man ja gar keine Freiheit mehr!«

Mila grunzte verschlafen. »Du bist ja ein Scherzkeks«, seufzte sie, »findest du es nicht ein bisschen zu spät für solche Fragen?«

Mit einem Blick auf den Wecker stellte ich überrascht fest, dass es weit nach Mitternacht war.

»Oh, sorry«, sagte ich, »das tut mir wirklich Leid, Mila. Kannst du mir noch mal verzeihen?«

Mila gähnte herzhaft. »Du kannst froh sein, dass ich Waage bin. Wir Waagetypen sind nicht nachtragend.«

Endlich war der Tag der Sek-I-Fete gekommen. Schon am Vormittag fiel der Unterricht aus, damit wir in der Aula und in den Gängen Stände und Bühnen und Partydekoration aufbauen konnten.

Im Gymnastiksaal wurde eine Diskobeleuchtung installiert und ein kleines Podium für die Schulband aufgebaut. Hier würde sich dann am Abend sicherlich alles tummeln und hier würden wir dann auch die Pärchen zusammenführen. Ich war rasend aufgeregt und hatte ein Kribbeln im Bauch, als ginge es um eine Liveshow im Fernsehen. Dabei wussten wir noch nicht mal, ob überhaupt Leute an unseren Stand kommen würden.

Wir hatten das Zelt geheimnisvoll dekoriert und zum reinsten Wahrsagesalon umgestaltet. Wir hatten es mit indischen Tüchern in den wunderschönsten Farben behängt. Mit Mond, Sonne, den Tierkreiszeichen und Sternbildern bedruckt wirkten sie sehr mystisch. Auf einem niedrigen Tischchen brannten kleine Duftkerzen und warfen geheimnisvolle Schatten an die Wände. Als ganz besonderer Blickfang ruhte auf einer kleinen Säule dahinter ein bleicher Totenschädel aus unserem Biosaal. Das Teelicht in seinem Inneren ließ seine Augenhöhlen gruselig flackern, was eine ultimativ sinistre Stimmung erzeugte.

Und dann kamen sie. Erst tröpfelnd, aber als sich der Zweck unseres »Gewerbes« erst einmal herumgesprochen hatte, gab es einen richtigen Massenansturm.

Ich hatte mir eine anschauliche Tabelle gemalt, nach der ich sehr schnell bestimmen konnte, welche Sternzeichen zusammenpassten. Wenn ich einen Schützetyp hatte, sah ich gleich, dass ich dem zum Beispiel eine Stierfrau anbieten konnte, aber einer Löwefrau um Himmels willen keinen Krebs.

Alle, die nicht nur eine mündliche Auskunft, sondern auch einen Partner vermittelt kriegen wollten, füllten eine Kodekarte aus und bekamen einen Sternensticker mit ihrer Kodenummer ans Shirt gepappt.

Das klappte prima und Mila machte es mit ihren Herzen genauso. Bald liefen Unmengen von Leuten mit Herz- und Sternenstickern herum. Manche hatten sogar beides. Peinlich, peinlich! Das konnte zu Komplikationen führen.

»Kritisch wird es ja nur«, meinte Mila beruhigend, »wenn sich unterschiedliche Herz- und Sternempfehlungen von mir und dir ergeben.«

»Genau. Stell dir vor, da hat ein Mädchen ein Herz und einen Stern und passt zu zwei verschiedenen Jungen und sowohl der Herz- als auch der Sterntyp wollen sie gleichzeitig auf die Tanzfläche zerren!«

»Grauenvoll! Die werden uns lynchen!«

»Quatsch, dann muss sie sich halt für einen entscheiden oder erst mit dem einen und dann mit dem anderen tanzen! Das soll unser Problem nicht sein. Wir schlagen nur vor und zwar unverbindlich und ohne Gewähr. Also keine Panik. Ist doch eh nur ein Spiel!«

Ich blieb skeptisch, sagte aber bloß: »Na, wenn du meinst.«

Kati machte inzwischen aus dem Kartenlegen voll die Show und die Leute standen bei ihr Schlange.

Sie war wegen des Andrangs zu einer verkürzten Legeform mit nur drei Karten übergegangen, die sich *Pfeil der Zeit* nannte und mit der man angeblich ziemlich rasch sagen konnte, ob eine Partnerschaft für die Zukunft aussichtsreich war.

Plötzlich kam Vanessa herein. Wir waren sicher, dass sie nur Mark im Sinn hatte, als sie mit ironischem Tonfall sagte: »Na, dann will ich mir auch mal was zum Lachen gönnen.«

Kati kassierte cool zwei Euro, bevor sie loslegte. Ich war neugierig, ob sie nun wie besprochen tricksen würde.

Sie mischte die Karten aufwändig und ließ Vanessa noch zweimal abheben. Dann zog sie drei Karten aus dem Stapel und legte sie auf den mit einem schwarzen Tuch bedeckten Tisch. Direkt daneben stand von unten geheimnisvoll beleuchtet die Wahrsagekugel. Langsam drehte sie die erste Karte um. Es war *Die Hohepriesterin,* was ein arrogantes Lächeln auf Vanessas Gesicht hervorrief.

»Das bist du«, sagte Kati mit neutraler Stimme. Aber schon beim Aufdecken der zweiten Karte begann sie zu stöhnen: »Oh, oh, das sieht aber gar nicht gut aus.«

Sie deutete auf die mittlere Karte. Ich sah zwei giftig aussehende Schlingpflanzen, die aus einem in

Flammen stehenden Herzen wuchsen. Darunter stand *Die Verstrickung.*

Kati nahm das Deutungsbuch und las vor: »Die Beziehung hängt fest. Es handelt sich ohnehin eher um eine neurotisch übersteigerte Bindung!« Ihre Stimme war todernst.

Ich musste an mich halten, um nicht loszuprusten. Gespannt sahen wir zu, wie Kati die dritte Karte aufdeckte: *Der Magier.*

»Das heißt«, las sie weiter vor, »ein Liebhaber steht in Aussicht. Aber weil die Karte auf dem Kopf ist, deutet sie auf ein übertriebenes Selbstwertgefühl und Illusionen hin.«

Sie blickte vom Auslegungsbuch auf und sah Vanessa an. Dann sagte sie, ohne mit der Wimper zu zucken: »Kurz und knapp: Dein Traumtyp ist an dir nicht interessiert. Du bildest es dir nur ein!«

Das war hart.

Vanessa kriegte auch prompt eine rote Rübe, sprang so hektisch auf, dass fast der ganze Tisch umfiel und schrie: »Verarschen kann ich mich selber!«

Dann rauschte sie beleidigt aus dem Zelt.

»Toff!«, sagte Mila anerkennend zu Kati. »Das war genau das, was diese eingebildete Ziege mal gebraucht hat! Wenn ich ein Junge wäre, würde ich um die einen riesigen Bogen machen!«

Inzwischen hatten Mila und ich jeder einen dicken Stapel ausgefüllte Fragebögen und Horoskopkarten.

Weil das Geschäft bei uns nun etwas abflaute, schnappten wir uns unsere Unterlagen und gingen kichernd in die Teestube, die Frau Kempinski mit Schülern aus unserer Klasse eingerichtet hatte. Dort begannen wir in einer ruhigen Ecke Pärchen zu bilden. Bei mir war das noch ziemlich einfach. Unvergleichlich schwieriger war Milas Aufgabe. Ihr Hauptproblem bestand darin, dass die meisten Leute sich gar nicht groß unterschieden.

Mila war ganz enttäuscht. »Das können wir vergessen! Bei Musik haben die meisten Latino-Pop, bei Lieblingsklamotten First- und Second-Hand-Mix geschrieben, und die am häufigsten genannten Farben sind grau und rot. Voll im Trend. Da muss doch irgendwie noch was Individuelles rein!« Mila schien wirklich der Verzweiflung nahe.

»Lass mal sehen«, sagte ich und nahm mir einige Bögen vom Mädchen- und vom Jungenstapel. Sah wirklich aus, als hätten alle die In-Spalte einer bekannten Jugendzeitschrift abgeschrieben.

»Du hättest eben auch fragen sollen, welches Deo bevorzugt wird: herb, frisch oder exotisch!«, schlug ich vor.

Mila fand das gar nicht witzig. »Dass die Leute sich so wenig unterscheiden, hätte ich nicht gedacht«, sagte sie resigniert. »Danach kann ja wirklich jeder jede abschleppen!«

Beim Blättern in den Fragebögen war ich jedoch an einem Fragebogen hängen geblieben, der sich von den anderen durch seine Antworten deutlich abhob.

»Guck mal«, sagte ich zu Mila. »Hier ist ein Typ, wie du ihn dir vorstellst. Der mag Lovesongs und Gedichte, findet Klamotten uninteressant und mag romantische Mädchen mit roten Haaren.«

Ich stockte.

Mila und ich starrten uns an.

»Er ist nicht zufällig das, was du gesucht hast?«, fragte sie mit einem zynischen Grinsen. »Der scheint ja dich zu beschreiben!«

Obwohl ich den gleichen Eindruck gehabt hatte, schüttelte ich heftig den Kopf. »Er hat die Brille vergessen«, sagte ich. »Er mag bestimmt keine rothaarigen Mädchen mit Brille!«

»Ach Quatsch.« Mila klang entschlossen. »Den Typ reserviere ich für dich.«

Und sie schrieb meine und seine Kodenummer zusammen auf ihre Liste. Auf mein zögerliches Zweifeln meinte sie nur trocken: »Mädchen, du machst jetzt, was ich sage, oder dir ist nicht zu helfen! Heute wird geflirtet auf Teufel komm raus. Warum, glaubst du, setzen wir hier alle geheimen Mächte in Gang, wenn für uns nicht auch was dabei herausspringt? Sind wir die Heilsarmee? Denk dran, die brave Frau denkt an sich selbst zuerst!« Sie grinste.

Ich begann meine Sternzeichen zu sortieren, was nicht weiter schwierig war, und kombinierte dann passende Pärchen.

Mila stand auf und sah mir neugierig über die Schulter. »Ich hoffe, du hast für mich ein sympathisches Partner-Sternzeichen organisiert. Mein Herz sehnt sich nach einer verwandten Seele.«

»Schütze/Schwein passt zu dir«, sagte ich lachend, »und dann hätte ich auch noch einen Zwilling/Pferd anzubieten, der gut kochen kann.«

»Hm, lecker, an dem würde ich ja gerne mal knabbern. Äh, an seinem Essen natürlich nur!«

Mila setzte sich wieder und blätterte frustriert in einem dicken Stapel völlig gleichartiger Antwortbögen. »Was mach ich denn bloß mit denen?«, seufzte sie.

»Spiel halt selbst die Glücksfee«, schlug ich vor und nahm einen Bogen vom Jungenstapel. »Hier, jetzt zieh du einen vom Mädchenstapel.«

Wir hefteten die Bögen zusammen und zack, zack hatte sich das Schicksal erfüllt. Mit den übrigen Fragebögen machten wir es genauso und ratzfatz war die Sache erledigt. Na, ich war ja mal gespannt, wen wir da mit wem verkuppelt hatten!

»Hat Vanessa eigentlich auch einen Fragebogen ausgefüllt?«, fragte ich Mila.

»Hat sie. Ich habe ihn besonders gekennzeichnet.«

Genau das hatte ich wissen wollen. »Gut«, grinste ich, »dann werden wir sie mal mit der letzten Dumpfbacke unserer Schule verkuppeln. Wie wäre es mit einem potthässlichen Siebtklässler?«

Mila schüttelte den Kopf. »Warum in die Ferne schweifen«, sagte sie mit einem feinen Lächeln um den Mund.

»Denkst du an jemanden aus unserer Klasse?« Jetzt hatte sie mich aber neugierig gemacht.

Sie nickte.

»Wen denn?«

»Wart's ab.«

Schließlich war die Stunde der Wahrheit gekommen.

Als alle Sterne und Herzen vergeben waren und wir den Shop schlossen, hatten wir fast zweihundert Euro eingenommen. Da hatten wir richtig was Gutes für das Sahelprojekt getan.

Wir schrieben die Wandzeitung mit den Paarungen und hängten sie für alle gut lesbar in der Disko auf. Als die geöffnet wurde, ging das große Suchen los. Bald rief und brüllte es durcheinander.

»Wer hat Stern dreiundzwanzig?«

»Wer hat Herz achtundneunzig?«

Irgendein Witzbold sang sogar: »Geliebtes Herz drei-vier, ich warte hier!«

Bald war die Disko knallvoll und im lachenden Gewusel fanden sich tatsächlich die ersten Pärchen und gingen auf die Tanzfläche zum Deoduft Testen.

Einige Pärchen schienen richtig zufrieden, so eng umschlungen tanzten sie. Clara lächelte einen verdammt gut aussehenden Typ an, der mindestens in der Zehnten war und zwei goldige Siebtklässler rappten gegen ihre Verlegenheit an. Frau Kempinski amüsierte sich sichtlich mit Old Mac Donald, unserem charmanten Musiklehrer, und – ich traute meinen Augen nicht! – Sportlehrer Sprinter hielt eine der Vertrauensschülerinnen im Arm. Dieses Schicksal aber auch!

Eben rauschte Vanessa erhobenen Hauptes an mir vorbei. Hinter ihr rannte mit hochrotem Kopf Knolle her. »Aber ich bin mir sicher, Vanessa! Ich habe doch genau gesehen, dass du die richtige Nummer hast. Bleib doch mal stehen …«

»Hau ab«, zischte sie, »nimm ja deine Pfoten von mir! Du leidest wohl an Größenwahn! Lass mich bloß in Ruhe!«

»Mila!«, sagte ich. »Du hast doch nicht etwa Vanessa und Knolle …?«

Mila sah mich mit unschuldigem Blick an. »Aber du weißt doch, dass ich ganz objektiv und nach streng wissenschaftlichen Kriterien vorgegangen bin. Irgendwie muss die beiden etwas verbinden, von dem sie selbst noch keine Ahnung haben!«

Wir lachten laut und albern.

»Wo steckt denn eigentlich *mein* Flirt?«, fragte ich und sah mich suchend um. »Dieser romantische Liebhaber rothaariger Mädchen? Du hast uns doch aufgeschrieben, Mila?«

Aber ehe sie antworten konnte, stand wie aus dem Boden gestampft plötzlich Mark vor mir. »Ich glaube, wir haben die passenden Nummern«, sagte er, ohne mir seine zu zeigen, packte mich am Arm und zerrte mich auf die Tanzfläche.

Ich warf Mila einen abgrundtiefen Hassblick zu. Wie konnte sie mir das antun!

Aus den Augenwinkeln heraus sah ich, dass sie mit einem bedauernden Ausdruck die Schultern zuckte. Was sollte denn das nun wieder?

Aber ich hatte keine Zeit lange darüber nachzudenken.

Mark beanspruchte meine ganze Aufmerksamkeit. Er umklammerte mich fest und schmiss sich derart heftig an mich ran, dass mir angst und bange wurde.

»Ich finde dich scharf«, sagte er. »Auf rote Haare stehe ich. Sind die echt oder gefärbt?«

»Na, echt natürlich! Was denkst du denn von mir!«

Er grinste. »Nur das Beste!«

Er nahm mir ganz plötzlich die Brille ab.

»He, was soll das«, sagte ich verschreckt, denn ohne sie kam ich mir verdammt hilflos vor. »Gib die Brille wieder her!«

»Was kriege ich dafür?«, fragte er frech.

»Ein Gedicht«, sagte ich in Erinnerung an den Fragebogen, der mir als so wohltuend anders aufgefallen war. Wenn er der Typ war, dann musste er jetzt darauf anspringen.

Tat er aber nicht.

»Sehr romantisch«, sagte er, »aber ich hatte da an etwas Handfesteres gedacht.«

»Und das wäre?«

»Wie wär's mit einem Kuss?«

Dacht ich's doch, voll notgeil, der Typ! Was nun? Ich wollte unbedingt meine Brille wiederhaben, aber den Typ auf keinen Fall küssen. Wenn er auf mich stand, hieß das ja noch lange nicht, dass ich auch auf ihn stehen musste. Außerdem hatte er den Dufttest ohnehin nicht bestanden. Viel zu aufdringlich. Was also tun?

»Zeig mal deine Nummer«, sagte ich, in der Hoffnung ihm dann einen Irrtum nachweisen zu können.

Aber er dachte gar nicht dran. Wie kam ich wieder zu meiner Brille?

»Ein Kuss, und du hast die Brille wieder«, sagte er, als hätte er meine Gedanken gelesen.

Ich sah mich nach Hilfe um, aber ich war mitten im Menschengewühl meiner Schulkameraden auf mich allein gestellt. Na denn, dann musste ich mich wohl mal ein bisschen deutlicher ausdrücken.

Ich blieb abrupt stehen. »Gib sofort meine Brille her!«, schrie ich ihn giftig an.

Mark war von meiner lautstarken Reaktion peinlich berührt, denn die Augen der tanzenden Paare neben uns richteten sich plötzlich alle auf uns. Ohne ein weiteres Wort gab er mir die Brille wieder.

Ich riss sie ihm förmlich aus der Hand und packte sie mir hastig wieder auf die Nase.

Nichts wie weg, dachte ich. Und die Gunst des Augenblicks nutzend sagte ich: »Danke für den Tanz!«, und stürmte davon.

»Wie konntest du mir das antun!«, beklagte ich mich bei Mila, als ich sie mit Kati an der Milchbar entdeckte. »Ausgerechnet mit diesen Macho von Mark musst du mich verkuppeln!«

Mila hob abwehrend die Hände. »Ich war es nicht! Glaub mir, ich habe damit nichts zu tun! Er hat dich einfach entführt. Du weißt doch selbst, dass ich diesen Romantiker für dich reserviert habe.

Ich kann mich gar nicht erinnern, dass Mark im Flirt-Shop war. Hat er denn überhaupt eine Nummer gehabt?«

Ich musste zugeben, dass er sie mir nicht gezeigt hatte.

»Das ist ja heftig!«, schimpfte Kati. »Da schmeißt der sich einfach an dich ran, ohne überhaupt im Spiel zu sein. Ist ja unverschämt!«

Ich war nur froh, dass Mila ihre Finger nicht in der Sache gehabt hatte.

»Aber den süßen Lovesong-Typ mit der Vorliebe für romantische Mädchen habe ich jetzt verpasst«, seufzte ich. Ich ließ meinen Blick über die Tanzfläche und über die Typen schweifen, die noch am Rand herumstanden. Die meisten hatten bereits eine Partnerin am Arm.

Mila hatte es auch registriert und zufrieden meinte sie: »Das hat doch bestens geklappt. Wie ich sehe, haben wir eine ganze Menge Leute verkuppelt. Ich glaube, in nächster Zeit wird das Leben für uns wieder etwas einfacher. Die Knaben sind jetzt erst mal mit ihren Eroberungen beschäftigt. Schade bloß, dass du leer ausgegangen bist.« Sprach's, hakte sich bei dem kochenden Zwilling/Pferd unter und verschwand im Gewühl.

Kein Grund zur Sorge, dachte ich. Mir geht's prächtig ohne Typ.

In dem Moment streifte mein Blick einen melancholisch dreinblickenden dunkeläugigen Jungen, der lässig an einer Säule des Gymnastikraumes lehnte und zu mir rüberschaute. Einen Moment saugten sich unsere Blicke ineinander fest.

Dann schob sich der blonde Wuschelkopf von Tobias dazwischen. »Tanzen wir?«, fragte er freundlich.

»Okay.« Ich folgte Tobias und verlor den anderen Jungen aus den Augen. Ob er es war, der Gedichte und romantische Mädchen liebte? Du träumst, Hanna, rief ich mich auf den Boden der Realität zurück. Der gut aussehende Typ hat bestimmt nicht gerade auf eine kleine rothaarige Brillenschlange gewartet. Und wenn doch? Wenn vielleicht er der Typ war, den Mila für mich reserviert hatte? Wenn er vergebens nach meiner Nummer gesucht hatte, als dieser Blödmann von Mark mich gerade auf die Tanzfläche entführte und versuchte einen Kuss von mir zu erpressen?

Ich würde es nie erfahren.

Denn nach diesem Tanz war die Fete auch schon vorbei. Tobi bedankte sich artig und lieferte mich wieder bei meinen Freundinnen ab.

»Und?«, fragte Kati neugierig. »Bist du fündig geworden?«

Ich schüttelte den Kopf. »Kati, deine Karten haben gelogen. Von wegen Liebe und Geheimnis! Der Typ hat mich nicht mal gefunden!«

Kati lachte. »Na, wenn das kein Geheimnis ist!«

Und auch Mila grinste und sagte: »Warte ab! Was nicht ist, kann ja noch werden.«

Wieso kam mir bei diesen Worten ausgerechnet der blauäugige Bustyp in den Sinn?

Anonyme Anrufe

Am nächsten Morgen lag ich im Vanilleschaumbad und entspannte mich. Das Handy ruhte weich gebettet auf einem Frotteehandtuch in Reichweite. Ich hatte die Augen geschlossen und träumte dem vergangenen Abend nach. Dieser dunkeläugige Typ am Rande der Tanzfläche ließ mir keine Ruhe. War er es, der diese Vorliebe für Lovesongs, Gedichte und rothaarige Mädchen hatte? Plötzlich bummerte es an die Badezimmertür.

Es war Motte. »Hanna! Da ist wer für dich am Telefon!«

»Sag, ich bin in der Badewanne und kann nur das Handy beantworten.«

Ich hielt die Augen weiter geschlossen und genoss das warme Wasser, das meinen Körper umschmeichelte. Wer konnte das am Telefon sein? Mila und Kati eigentlich nicht, denn die hätten mich gleich über mein Handy angerufen.

Motte stand wieder vor der Tür. »Alles klar, ich habe ihm deine Handynummer gegeben.«

»IHM?« Ich schoss wie von der Meerspinne gezwickt in der Wanne hoch. »Wieso IHM? Wer war das überhaupt?«

»Keine Ahnung, hat sich nicht vorgestellt.«

»Waaas? Und dann gibst du einfach meine Handynummer raus?!«

»Du hast doch gesagt, er soll dein Handy anrufen. Ohne Nummer geht das ja wohl nicht.«

»Aber meine Nummer ist nur für meine ganz speziellen Freundinnen. Du hast nicht gesagt, dass es ein ER ist!«

»Du hast ja auch nicht gefragt.«

Ich holte gerade Luft, um meine kleine Schwester zu verfluchen, da dudelte das Handy schon los.

Ich zögerte. Wenn das nun der Unbekannte war? Sollte ich das Gespräch annehmen? Besser nicht! In der Badewanne mit fremden Leuten zu telefonieren war ja irgendwie nicht so ganz das Wahre. Da gönnte man sich allenfalls ein Pläuschchen mit seiner Lieblingsfreundin, ließ dabei den Badeschaum auf der Zehenspitze tanzen und zog entspannt andere Leute durchs Badewasser. Das ließ sich mit einem Fremdling am Handy nicht machen. Und wenn es nun gar kein Fremder, sondern Mila war? Oder Kati? Sollte ich mir die Freude, mit einer von ihnen zu tratschen, durch irgend so einen Anonymling nehmen lassen? Nein!

Ich trocknete meine Hände ab und griff entschlossen zum Handy. »Ja?«

Es war nicht Mila und es war auch nicht Kati. Es war überhaupt niemand von dieser Welt.

Something's gotten hold of my heart
taking my soul and my senses apart.
Something has invaded my night
painting my life with a colour so bright.
Changing the dark, changing the blue,
scarlet for me and scarlet for you …

sang es mir aus dem Handy entgegen.

Ich hatte den Sänger noch nie gehört. Er hatte eine helle, merkwürdig hohe, aber sehr eindringliche Stimme. Die Aufnahme klang etwas antik. Dennoch machte sie mich durchaus an. Ich drückte auf die Freisprechtaste, lehnte mich zurück ins

Wasser und lauschte neugierig und erstaunt dieser musikalischen Liebeserklärung.

… and a feeling unknown took my heart
makes me want you to stay,
all of my life and all of my day …

Ohne dass ich es wollte, drängte sich mir der Gedanke auf, ob das der Typ von der Sek-I-Fete war, mit dem ich das Date verpasst hatte. Wo Lovesongs doch sein Hobby waren! *Scarlet for me!* Scharlachrot! Das war bestimmt kein Zufall, dass er dieses Lied für eine erste Kontaktaufnahme mit mir, einem anerkannt rothaarigen Mädchen, ausgesucht hatte.

Es erschien mir immer wahrscheinlicher, dass es der Junge war, den Mila für mich bei der Partnervermittlung reserviert hatte. Der musste irgendwem ein paar Infos über mich abgeluchst haben.

Ich wurde richtig neugierig auf den Typ. »Äh, kannst du dich vielleicht mal vorstellen?«, sagte ich spontan.

Die Antwort war ein leises, sympathisches Lachen. »Habe ich das nicht getan, kleine Meerjungfrau? Ich bin der Prinz, auf den du so sehnsüchtig gewartet hast.«

Das war ja nun voll der Abtörner. Gehörte in die Kategorie, wie man es nicht machen sollte. Schema: Ich sehe zwar aus wie ein Frosch, aber wenn du mich küsst, verwandle ich mich in einen schönen Prinzen. Schlagartig war meine romantische Anwandlung verflogen. Da schien mich schlicht jemand auf den Arm nehmen zu wollen.

Ich überlegte, wem die Stimme gehören konnte. Mark? Tobi? Das war doch sicher ein Typ aus meiner Klasse, der sich einen Scherz mit mir erlaubte. Also bloß nicht auf die romantische Tour eingehen und cool bleiben.

»Da muss wohl ein Irrtum vorliegen«, sagte ich und versuchte meiner Stimme einen beiläufigen Tonfall zu geben. »Hier ist nicht die kleine Meerjungfrau, sondern die schaumgeborene Venus. Tja, wenn du ein Gott wärst – aber so ... Bedaure, für Prinzen habe ich keine Verwendung.«

Sanft sonores Lachen. Na, wenigstens Humor hatte der Typ. Das sprach eigentlich gegen Mark, auch wenn die Stimme mich etwas an ihn erinnerte. Frech genug für so einen Handyüberfall war er allerdings. Aber ehe ich weiter bohren konnte, machte es plötzlich *tut tut* in meine Gedanken und der Typ hatte aufgehängt.

Ich wählte sofort Milas Nummer, um ihr von diesem Erlebnis der übersinnlichen Art zu berichten und sie zu fragen, ob sie vielleicht ihre Hände im Spiel hatte. Hatte sie aber nicht.

»Nein, ich habe wirklich niemandem deine Adresse gegeben ... eure Telefonnummer auch nicht ... nein, echt nicht ... Was dir aber auch immer so passiert«, sagte sie und es klang ein bisschen so, als beneide sie mich. »Was glaubst du, wer es war? Mark oder Tobias oder vielleicht gar der Lovesong-Typ von der Sek-I-Fete? Das wäre doch süß!«

»Na ja, Lovesong würde ja passen. Aber wie kommt der an meinen Namen und so? Unsere ganze Aktion auf der Fete war doch anonym.«

»Vielleicht hat er sich schon vorher in dich verguckt und dir ein bisschen hinterherspioniert. Schließlich hat er ja in dem Fragebogen geschrieben, dass er auf Rothaarige steht, und so viele rothaarige Mädchen gibt es an unserer Schule nun auch wieder nicht. Im Übrigen glaube ich, dass es jemand ist, der dich kennt. Ein Typ aus unserer Klasse zum Beispiel.«

Das wollte ich nun lieber nicht glauben, denn da machte mich wirklich keiner richtig an.

»Wenn du das Rätsel lösen willst, musst du dich halt einfach mal mit ihm verabreden«, schlug Mila vor.

»Wie denn? ER hat doch aufgehängt und auf dem Display stand keine Nummer. Wie soll ich rauskriegen, wer er ist, und wie soll ich an ihn rankommen?«

Da wusste Mila auch keinen Rat. »Na, plantsch mal schön weiter. Vielleicht fällt dir dabei was ein. Wir sehen uns heute Nachmittag bei dir.«

Ich legte das Handy zur Seite und sank wieder tiefer in die Fluten. Ein herrliches Gefühl der Entspannung durchströmte mich. Dieses Badezeugs war wirklich angenehm.

Ich schloss die Augen und gab mich ganz diesem fast meditativen Zustand hin.

Plötzlich war mir, als sähen mich zwei blaue Augen intensiv an. Hatte sich doch dieser gut aussehende Bustyp in meine Gedanken geschlichen. Ob er wohl am Montag wieder auf meiner Strecke fahren würde und vielleicht auch am Dienstag und am Mittwoch und ... vielleicht von nun an immer?

Ich riss erschrocken die Augen auf. Was war denn mit mir los? Seit wann interessierte ich mich für Jungen? Um die hatte ich doch bisher immer einen großen Bogen gemacht. Ich war froh, wenn mir keiner zu nahe trat und nun das!?

Daran war bestimmt nur Mila schuld, die mir bei jeder sich bietenden Gelegenheit einredete, ich müsste dringend etwas für mein Liebesleben tun. Da fiel mir ein, dass ich sie gar nicht gefragt hatte, was aus ihrem kochenden Zwilling/Pferd geworden war. Und Kati hatte ich doch so ein brillantes

Löwe/Schwein besorgt, das immer während Liebesglut versprach.

Ich wählte Katis Nummer.

Ihre Mutter war am Telefon. »Kati ist spazieren«, sagte sie.

Das erstaunte mich aber. »Was? So früh?«

»Ein junger Mann hat sie abgeholt.«

Mir verschlug es die Sprache. Die gingen aber ran!

»Soll ich was ausrichten, wenn sie wiederkommt?«

»Äh ... ja ... äh ... nein ... äh ... sie kann ja mal anrufen!«

»Gut, sag ich ihr. Ist was? Du klingst so verwirrt.«

»Das bin ich auch«, sagte ich in der meinem Sternzeichen gemäßen Aufrichtigkeit. Die Sterne lügen eben nicht!

Am Nachmittag saßen wir im Buchladen und blätterten in Mädchenzeitschriften, die Mila aus dem Frisiersalon ihrer Mutter mitgebracht hatte.

»Ist doch prima gelaufen gestern!«, sagte Kati vergnügt.

Die hatte gut lachen. Offenbar hatte sie sich ja einen Traumtyp an Land gezogen. Und ich hatte ihn ihr auch noch selbstlos vermittelt.

»Wie heißt denn der Glückliche, der dich abschleppen darf?«, fragte ich mit einem leisen Anflug von Neid.

»Timo«, sagte sie schlicht und es klang doch so, als schwängen Zimbeln und Harfen in ihrer Stimme mit.

Klar, unsere liebe Freundin schwebte auf Wolke sieben. Die konnten wir für's Erste abschreiben.

Mussten wir auch. Denn kaum hatte sie ein Tässchen Tee getrunken, verabschiedete sie sich auch schon wieder. »Wir wollen noch ins Kino«, sagte sie entschuldigend. »Ihr seid doch nicht böse, oder?«

Natürlich waren wir böse, konnten aber andererseits ihrem Lebensglück nicht im Weg stehen.

»Aber nein«, sagten wir darum gleichzeitig, »viel Spaß!«

Als sie fort war, sahen wir uns deprimiert an.

»Diese Kerle machen nichts als Ärger. Nun fängt schon der erste an, unsere Freundschaft zu ruinieren!« Ich war sauer.

»Die lassen wir uns aber nicht kaputtmachen«, sagte Mila mit fester Stimme.

Doch ich wurde das Gefühl nicht los, dass uns eine harte Prüfung bevorstand.

»Und, wie ist es bei dir gelaufen? Was macht das kochende Zwillingspferd?«, fragte ich.

»Kannst du vergessen«, sagte Mila. »Der Typ kocht nicht nur gerne, der isst auch gerne, und zwar ständig. Wenn ich bei dem bleibe, bin ich in ein paar Wochen voll die Kugel. Nee, der ist mir zu gemütlich. Ich stehe eher auf sportliche Typen.« Sie sah mich scharf an. »Für wen hast du dich denn entschieden? Mark oder Tobias?«

Wie sollte ich ihr beibringen, dass mich von denen keiner so richtig antörnte, aber dafür gleich zwei fremde Jungen mein Interesse geweckt hatten?

Schließlich beichtete ich es ihr aber doch und sie begann sofort zu überlegen, wie ich den Typ im Bus am besten anbaggern könnte.

Sie stoppte beim Blättern in ihrer Zeitschrift und hielt mir das Heft vor die Nase. »Guck mal da, da ist was für dich.«

Ich las die Überschrift. *Anmache oder Abtörner* stand da und darunter jede Menge Tipps, wie man seinen Traumtyp angräbt. Nicht schlecht.

Sofort begannen wir die Vorschläge im Rollenspiel zu testen.

»Also, ich bin jetzt dieser Typ im Bus«, sagte Mila, »und du machst mich an. Los!«

Ich starrte in die Zeitschrift und suchte mir einen Tipp unter der Rubrik *witzige Anmache* aus.

Schnurstracks ging ich auf Mila zu. »Du hast ja ein Biep auf der Nase«, sagte ich.

»Ein waaas?«

»Ein Biep«, wiederholte ich, drückte ihr vorschriftsmäßig mit dem Zeigefinger auf die Nase und sagte: »Biep!«

Wir brauchten einige Zeit, bis wir uns von unserem Lachkrampf erholt hatten.

»Und du glaubst nicht, dass der Typ mich für voll bescheuert hält?«, fragte ich keuchend.

»Doch«, kicherte Mila in erfrischender Offenheit.

Was hatten die Redakteurinnen sich da bloß ausgedacht! Auch die anderen Tipps waren wohl noch nicht in der Praxis erprobt. Schon wenn man das Gesäusel aussprach, schüttelte es einen vor Lachen.

»*Würden wir beide nicht reizend als Marzipanfiguren auf einer Hochzeitstorte aussehen?*«, las ich gerade vor und Mila wollte nicht glauben, dass dieser Spruch nicht aus der Kategorie *Abtörner*, sondern *witzige Anmache* stammte.

»Also«, sagte ich schließlich, »das hilft mir auch nicht weiter. Vermutlich werde ich den Typ sowieso nie wieder sehen. So was Tolles verirrt sich nur einmal in unseren Bus!«

»Bleibt aber die Frage, wer dieser anonyme Anrufer ist«, sagte Mila.

»Ich hatte erst an Mark gedacht«, gestand ich. »Die Stimme klang auch so ähnlich. Aber irgendwie ist er wohl nicht der Typ für so was.«

»Warum nicht?«, sagte Mila. »Im Grunde wissen wir doch gar nichts über ihn. Und vielleicht steckt hinter seinem Machogehabe eine ganz empfindsame Seele.«

Ach du gründelnder Graskarpfen, dazu fiel mir nur Goethe ein: »Des Menschen Seele gleicht dem Wasser ...«

Mila kicherte. »Bei manchen Typen wohl eher dem Bier!«

»Na, das sag mal Frau Kempinski-nicht-aus-der-Hoteldynastie!«

»Marks Seele gleicht dem Bier,
drum ist er manchmal wie ein Tier
und stürzt sich auf uns wie ein Stier.
Er braucht dazu kein rotes Tuch,
ein Trager Bier ist ihm genug ...«,
dichtete Mila drauflos.

Wir brachen in schallendes Gelächter aus.

Vergnügt trank ich einen Schluck Tee und knabberte eine Cigarette russe. »Der Typ im Bus würde mir besser gefallen«, sagte ich vorsichtig. »Falls der noch mal zusteigt, werde ich ihn jedenfalls im Auge behalten. Und was diesen Anrufer angeht, wer weiß, ob der sich jemals wieder meldet.«

ER meldete sich. Und wie! Innerhalb weniger Tage wurde er zu meinem ständigen Begleiter. Sozusagen zum Dschinn aus dem Handy. ER manifestierte sich an den absonderlichsten Orten, zu den abartigsten Zeiten, in den unmöglichsten Situationen, mit den merkwürdigsten Liebeserklärungen, die ein Mädchen wohl je per Handy gekriegt hatte.

Los ging es mit einem Anruf am späten Abend. Ich grub mich aus meiner Kissenburg und griff zum Handy. »Ja?«, fragte ich erwartungsvoll.

Aber aus dem Handy erklang nur leise Musik. Mit Mühe verstand ich einige Worte, denn es war wieder ein englischer Text. *Good night, good night … sleep well, and when you dream, dream of me tonight …*

Die Musik wurde leiser und leiser und dann sagte eine Stimme: »Schlaf schön, Lovely.«

Ehe ich etwas erwidern konnte, war die Verbindung beendet. Natürlich hatte ER auch diesmal wieder verhindert, dass seine Nummer registriert wurde.

Die nächsten Abendanrufe folgten dem gleichen Schema: ein Lovesong als Schlaflied und ein kurzer Gutenachtgruß.

Eine an sich nette Art von Anmache, aber irgendwo nervtötend, da es so einseitig verlief! Ich fand es ja süß, aber ich hätte IHM auch mal gerne was Freundliches gesagt. Immer gleich aufzuhängen, war einfach eine Gemeinheit!

An einem Samstag war es spät geworden und wir waren mit der ganzen Familie noch ins Steakhouse gegangen.

Als mein Handy zu der üblichen Anrufzeit dudelte, hatte ich gerade ein dickes Stück Fleisch zwischen den Zähnen und wollte mich eigentlich nicht beim Kauen stören lassen. »Ich esse gerade ein dickes Ribeyesteak. Und wenn ich esse, esse ich.«

»Heißt das, ich störe?«

»Genau.«

»Na, dann lass es dir schmecken. Ich habe dich übrigens zum Fressen gerne!«

»Huch! Friss mich nur nicht auf!«

ER kicherte. »Bin ich der große Menschenfresser?«, und dann sang ER leise: »... *und alle Kinder, die nachts nicht schlafen, die nehm ich mit und die fress ich auf ...*«

Das ging zu weit.

»Du spinnst«, sagte ich und drehte ihm den Saft ab. Gerade rechtzeitig, denn sowohl die Mienen meiner Eltern als auch die der Leute am Nachbartisch hatten sich während meines Telefonats sichtbar verfinstert. Handys waren in diesem Restaurant nicht gerne gesehen.

ER rief aber nicht nur abends an.

Ohne Rücksicht auf Verluste flirtete ER zu jeder Tageszeit mit mir. Als mein Handy plötzlich im Sozialkundeunterricht losging, war ich natürlich voll verlegen und stotterte hilflos eine Entschuldigung in Richtung Lehrertisch. Irgendwas wie »... es könnte ja ein Notfall sein.«

Leider hatte Frau Scheffler, unsere Sozialkundelehrerin, gar keine soziale Ader, denn sie verbat sich energisch die Störung ihres Unterrichts.

Ich kriegte einen roten Kopf, hauchte ins Handy: »Jetzt geht es nicht«, und schaltete das Teil zerknirscht aus. Nein, wie peinlich mal wieder! Hatte der Typ denn keinen Unterricht? Ich starrte zu den Plätzen von Tobias und Mark, die leer waren. Ob einer von ihnen ...? Nein, das konnte nicht sein, die waren doch bei der Schülerversammlung.

»Na und«, sagte Mila in der Pause. »Da herrscht doch immer das totale Chaos, da macht es auch nichts mehr aus, wenn jemand ein Handy benutzt.«

»Ja, haben die denn überhaupt eins?«, fragte ich.

Sie hatten, alle beide!

Überhaupt waren inzwischen viele meiner Mitschüler Besitzer eines Handy. Die ohne waren eher in der Minderheit.

Und so war Mila total glücklich, als auch sie an ihrem Geburtstag eins geschenkt bekam. Nur Katis Eltern ließen sich zu ihrem Leidwesen nicht erweichen.

»Also doch Telepathie«, sagte Mila grinsend, was ihr aber nur einen bösen Blick von Kati einbrachte. Ich konnte verstehen, dass ihr nicht zum Scherzen zu Mute war. Ein Handy war für unsereins einfach lebenswichtig!

Obwohl ich gerade nach dem letzten Gespräch mit IHM den Eindruck hatte, dass mein Leben durch das Handy nicht eben leichter geworden war. Ich war mit Hans-Hermann Gassi, und als das Handy dudelte, stand ich gerade mit ihm an einer uralten, dicken Kastanie mit einem mächtigen Stamm.

Ich holte das Handy aus der Jackentasche und hielt es ans Ohr. In der anderen Hand hatte ich die Leine von Hans-Hermann.

ER fragte: »Was tust du, Lovely?«

Aber noch ehe ich antworten konnte, gab es einen heftigen Ruck an der Leine und mit lautem Gebell zerrte mich Hans-Hermann auf die andere Seite des Stammes. Dort stürzte er sich todesmutig auf einen schwarzbraunen Dobermannpinscher, dessen Herannahen ich, abgelenkt durch den Handyanruf, nicht bemerkt hatte. Dabei machte ich um diesen Köter, der ein stadtbekannter Killer war, sonst immer einen weiten Bogen. Ich riss die Leine mit Hans-Hermann dran heftig zurück. Aber da ich nur eine Hand benutzen konnte, war das natürlich keine sehr effektive Aktion. Hans-Hermann schüttelte sich nur unwillig und dann stürzte er wie ein geölter Blitz auf den Killerhund zu, der ihn schon mit gebleckten Zähnen und freudig aus dem Maul triefendem Sabber erwartete.

Ich stopfte hastig das Handy in die Jackentasche und versuchte nun durch beidhändiges Zerren die Hunde auseinander zu bringen. Das Killerhund-Herrchen tat das Gleiche. Irgendwie schafften wir es dann. Und ich schleppte den voll gesabberten und fürchterlich jaulenden Hans-Hermann nach Hause zur Notfallversorgung.

»… und alles nur, weil ich durch diesen blöden Anruf abgelenkt war«, schloss ich am nächsten Tag in der Schule meinen Bericht von dem grauenvollen Vorfall.

»Du brauchst ja auch nicht überall dein Handy mit hinzuschleppen«, sagte Kati-ohne-Handy.

»Nimmst du es auch mit, wenn du aufs Klo gehst?«, fragte Mila direkt und indiskret.

»Erinner mich nicht dran!« Ich musste an die peinliche Szene denken, als ich Mickymaus schmökernd auf der Kloschüssel hockte und ER mir ein Gedicht ins Ohr sülzte. Da ritt mich einfach der Teufel. Ich nahm das Handy, hielt es ganz nah an den Spülkasten und drückte die Wasserspülung.

Und als ER sagte: »Irgendwie ist heute ein Rauschen in der Leitung«, klärte ich IHN brutal darüber auf, dass dieses Rauschen kein romantischer Wasserfall, sondern die Klospülung war.

Merkwürdigerweise schien ER aber solche Eskapaden nicht krumm zu nehmen. Jedenfalls stellte ER deswegen seine Anrufe nicht ein. Ob ER vielleicht diesen ganzen Liebesschmus gar nicht ernst meinte, sondern mich damit nur foppen wollte?

Wenn tatsächlich Mark dahinter steckte, konnte es seine Rache dafür sein, dass ich ihn auf der Sek-I-Fete nicht geküsst hatte. Jungen sind ja manchmal ziemlich eitel und können Zurückweisungen schlecht verkraften.

»Könnte schon sein«, pflichtete Mila mir bei und wir schauten misstrauisch zu Mark in die Jungenecke rüber.

»Ehrlich gesagt wäre das die plausibelste Erklärung. Der will dich bestimmt nur nerven.«

Nerven taten mich die Anrufe tatsächlich inzwischen. So hatte mich zum Beispiel eine ständige Unruhe befallen, weil ich fortwährend auf einen überraschenden Anruf von IHM wartete. Saß ich über den Hausaufgaben, schweiften meine Gedanken ab. Las ich ein Buch, vergewisserte ich mich zwischen dem Umblättern der Seiten plötzlich, ob mein Handy auch neben mir lag und eingeschaltet war. Abends konnte ich nicht eher einschlafen, bis ER mir nicht per Handy einen Lovesong als Schlaflied rübergeschickt hatte. Ganz unauffällig begann der große Unbekannte meinen Tagesablauf zu strukturieren und mein Leben zu infiltrieren wie einer dieser unsichtbaren Außerirdischen, die sich heimlich unter die Menschheit schleichen. *Something has invaded my life!* Konnte man wirklich so sagen. ER wusste mittlerweile, wann ich aus der Schule kam, wann ich morgens aufstand, abends schlafen ging, zu Mittag aß, mit meinen Freundinnen Tee trank, Hausaufgaben machte, zum Sport, zum Klavier, zum Chor und sonst wohin ging und so weiter und so weiter …

»Das ist doch nicht auszuhalten«, sagte Mila eines Nachmittags, als wir mit Hans-Hermann die Kastanienallee runtergingen. »Das ist doch der glatte Terror! Kein Mensch darf sich so in das Leben eines anderen Menschen drängen. Schon gar nicht anonym! Dagegen musst du etwas unternehmen!«

Das hatte ich mir selbst auch schon mehr als ein Mal gesagt.

So hatte ich zum Beispiel beschlossen, einen Tag lang das Handy nicht einzuschalten oder zumindest keinen unidentifizierten Anruf mehr entgegenzunehmen, aber es blieb jedes Mal bei diesem guten Vorsatz. Ich musste es mir eingestehen: Ich war süchtig nach IHM, nach meiner Handyliebe! Wer immer es auch war!

»Hast du denn gar keinen eigenen Willen mehr?«, schimpfte Mila mit mir.

»Doch«, sagte ich kleinlaut, »es ... es ... ist nur ... irgendwie habe ich das Gefühl, dass ER sich vielleicht doch wirklich in mich verknallt hat.«

Mila starrte mich an. »Dir ist ja wohl nicht zu helfen«, sagte sie. »Selbst wenn der in dich verknallt ist. – Du wirst dich doch wohl nicht mit so einem Irren einlassen, so einem Telefonterroristen!?«

Schuldbewusst schüttelte ich den Kopf. »Nein, nein ... natürlich nicht«, sagte ich und dachte, oder vielleicht doch?

Natürlich schaute ich mir auch den Typ im Bus, der tatsächlich nun jeden Tag auftauchte, möglichst genau an. Er wirkte ziemlich lässig und selbstbewusst, trug gute Klamotten und war mindestens zwei Jahre älter als ich. Das Hervorstechendste an ihm waren zweifellos seine irritierend blauen Augen. Selbst wenn der ganze Kerl völlig verschlafen wirkte, blitzten sie mich hellwach an. Gleich wurden meine Knie weich und ich musste mich auf den nächsten Sitz fallen lassen. Ob er vielleicht der anonyme Anrufer war?

Es gab da eine gewisse Spur, die zu ihm führte oder zumindest nahe legte, ihn in den Kreis der Verdächtigen aufzunehmen.

Ich vermisste seit einiger Zeit meine Busfahrkarte und fuhr schon seit Tagen schwarz. Nun kam mir die Idee, dass sie vielleicht mit meinem ganzen anderen Kram aus meiner Tasche und vor seine Füße gefallen war. Wie leicht hätte er sie unauffällig einstecken können! Ich hätte es in meiner damaligen Verlegenheit bestimmt nicht gemerkt. Wenn er es getan hatte, dann fand er auf der Karte alles, was er brauchte, um mit mir in Kontakt zu treten: Name, Adresse, Schule. Eine wirklich plausible Erklärung! Eigentlich ganz schön heftig, einem Mädchen einfach die Busfahrkarte zu klauen! Ich schaute ihn aus diesen Gedanken heraus wohl ziemlich misstrauisch an.

Er sah es und lächelte mir zu. Ich fühlte, wie sich meine Gesichtsfarbe unkontrolliert ins Rötliche veränderte. *Scarlet for me, and scarlet for you!* Er sah aber auch einfach unverschämt gut aus. Ich hätte wirklich nichts dagegen, dachte ich, wenn er der anonyme Anrufer wäre. Leider hatte ich ihn noch nie sprechen gehört. Aber ihn einfach anzuquatschen traute ich mich nicht. Du hast da ein »Biep« auf der Nase! Tzz! Darauf konnte er doch nur antworten: »Und du hast 'ne Meise unterm Pony.«

Inzwischen warfen in der Schule große Ereignisse ihre Schatten voraus. Unsere Schule war für die bevorstehende Weltausstellung zur Modellschule gekürt worden und unser Chorleiter Old Mac Donald hatte uns mit einem Sonderprogramm angemeldet. *Liebeslieder des Jahrtausends und der Welt* sollten wir dem geneigten Publikum zu Gehör bringen.

Liebeslieder mit hochpubertierenden Leuten wie uns einzustudieren, war ja oberpikant. Als Old Mac Donald damit das erste Mal ankam, glaubte es keiner wirklich.

»Der macht Witze«, flüsterte Mila mir zu und auch Kati war der Ansicht: »So etwas Peinliches kann er doch wohl nicht machen!«

Machte er aber. Die ganze Sek-I sollte mitsingen. Sozusagen ein Megachor mit Milleniums-Qualität.

»Also, ich singe ja gerne«, sagte ich zu Kati, »und auch gegen Liebeslieder habe ich nichts. Aber müssen wir wirklich mit den ganzen Bratzen aus unserem Jahrgang singen? Die sind doch so was von albern, und unmusikalisch sind sie sowieso!«

Das merkte Old Mac Donald bei jeder Probe und verfluchte die Idee und uns, die hilflosen Ausführenden. »Die Tenöre«, schrie er auch heute wieder, »wo bleibt der Einsatz? Das ist kein Singen, das ist Piepsen! Was ist das hier, ein Eunuchenchor? Was ist mit den Bässen? Kiwi, du kannst auch die Klappe halten. Dies Gekiekse können wir nicht mal einem tauben Walross als Gesang verkaufen!«

Der arme Kiwi wurde ganz blass. Schließlich konnte er ja nun wirklich nichts dafür, dass der Stimmbruch seine Stimme völlig aus dem Gleis gebracht hatte, und bei anderen klang es im Übrigen auch nicht viel besser. Jedenfalls gerieten die Chorproben jedes Mal voll zur Gaudi.

Old Mac Donald, hämmerte so oft das A auf dem Flügel, dass es nach einiger Zeit völlig ausgeleiert klang und ein Klavierstimmer kommen musste, um es wieder zu richten.

»Nehmen Sie in Zukunft eine Stimmgabel«, sagte der Direx. »Das wird zu teuer, wenn ich alle zwei Wochen das Stimmen bezahlen muss. Der Flügel soll für die Auftritte reserviert bleiben.«

Also schlug Old Mac Donald von nun an erbost die Stimmgabel ans Notenpult und sang den Kammerton A höchst persönlich vor.

Wir probten *Santa Lucia*. Erst mal nur alle achten Klassen. Später würden es dann dreihundert Leute vierstimmig singen. »Il mare lucica, l'astro d'argente!«

Nein, wie romantisch. Ich stellte mir da eher ein verliebtes Pärchen in einer vom Mondlicht illuminierten Gondel unterm Sternenzelt vor. Stille Zweisamkeit, zärtliche Weise. Das, was wir hier taten, war in etwa so, als hätte Romeo seine Julia nicht auf einem verschwiegenen Balkon, sondern im Fußballstadion geküsst. So fiel es mir nicht ganz leicht, bei den Proben den nötigen Ernst für die Sache aufzubringen.

Außerdem nutzte ich die Proben auch, um nach diesem Typ mit den dunklen Augen Ausschau zu halten, der sich seit der Sek-I-Fete so unauslöschlich in mein Gedächtnis gegraben hatte. Es konnte ja sein, dass er aus einer Parallelklasse war.

Aber leider musste ich die Hoffnung bald aufgeben. Als er bei der dritten Probe noch nicht aufgetaucht war, sagte Mila: »Nun vergiss es. Der ist nicht in der Achten. Vielleicht Neunte oder Zehnte. Bist du denn sicher, dass er überhaupt von unserer Schule ist? Es waren 'ne Menge Leute von anderen Schulen auf der Fete.«

Das war ja wieder voll aufbauend. Wenn er von einer anderen Schule war, würde ich ihn nie finden. Schließlich konnte ich ja nicht die Schulhöfe abklappern oder Steckbriefe aushängen: *Suche süßen, dunkeläugigen Typ, in den ich mich bei der Sek-I-Fete an der Thomas-Mann-Schule verknallt habe. Bitte sofort melden!*

Ging ja wohl nicht. Ich seufzte und schmetterte: »… komm, lass nicht warten mich, es wird beglücken dich, Santa Lucia, Santa Lucia!!!«

Neben mir erklang leises Kichern. Ich schaute irritiert um mich.

Im selben Moment dröhnte Old Mac Donald: »Falls du mir damit andeuten willst, dass du einen Solopart übernehmen willst, Hanna, ist das angekommen. Jetzt wäre es nett, wenn du das Gleiche wie der restliche Chor singen würdest.«

Ich starrte Mila verdattert an und flüsterte: »Was hab ich denn gemacht?«

Sie deutete auf die Partitur. »Wir sind erst hier, beim Italienischen. Die deutsche Strophe kommt später.«

Ach, wie peinlich. Hatte man das denn so rausgehört?

»Und wie«, sagte Mila, »du hast geschmettert wie 'ne Lerche. Sicher hast du mal wieder an deine Handyliebe gedacht, stimmt's?«

Zu allem Unglück hatte Old Mac Donald nicht gescherzt.

Meine Soloeinlage hatte ihn auf meinen »tragenden Sopran«, wie er es nannte, aufmerksam gemacht, und er fragte mich am Ende der Probe, ob ich mir vorstellen könnte ein Duett zu singen mit … Tobias.

Um Himmels willen, nein!, dachte ich und sagte brav: »Wenn Sie mir das zutrauen …«

Er traute. Er gab mir ein paar Notenblätter in die Hand und meinte: »Guck es dir schon mal an.«

Ich guckte nicht nur, sondern probierte es zu Hause auch auf dem Klavier. Es war ein Stück aus der Westside Story und hieß *Somewhere*.

Ich summte es leise vor mich hin, als das Handy ging. Ich nahm die Hände von den Tasten und den Anruf entgegen.

»Hallo, Lovely, was tust du?«

»Ich spiele Klavier.«

»Lass hören.«

Ich schaltete auf Freisprechen und schlug ein paar Takte an. ER summte sofort mit und verfiel dann in einen sanften Sprechgesang. *There's a place for us, somewhere a place for us ...*

Sollte es vielleicht Tobias sein?

Mir riss der Geduldsfaden. »Schön!«, schnauzte ich. »Ganz toll! Fände ich wirklich super. Aber mir scheint, das wird am Sankt-Nimmerleins-Tag sein! Sag mir endlich, wer du bist! Dann können wir uns verabreden und werden sehen, ob und wie und wo es mit uns weitergeht!«

Keine Reaktion. Ich riss das Handy an mich, um herauszufinden, warum ER nicht antwortete. Mist! Wie immer, wenn ER Farbe bekennen sollte, hatte der feige Kerl aufgelegt!

Die erste Probe mit Tobias war zum Quieken. Wieso war er denn so schüchtern? Er wirkte, als wollte er bei jedem Ton, den er sang, erst um Erlaubnis fragen, den Mund aufmachen zu dürfen. Und statt mich anzusehen, starrte er immer über meine linke Schulter, da hin wo Mila und Kati standen. Das trieb Old Mac Donald schließlich an den Rand eines Nervenzusammenbruchs und er schickte uns nach Hause.

»Was hatte Tobias denn bloß?«, fragte ich Mila. »Der ist doch sonst ganz okay.«

»Mensch, wenn du das nicht gemerkt hast. Der ist doch offenbar voll verknallt in dich!«, mischte sich Kati sofort ein und wieder einmal betonte sie, dass sie ja schon immer der Meinung gewesen sei, dass Tobias hinter den anonymen Anrufen stecke.

»Sicher hat er die ganze Zeit daran denken müssen und hat deswegen einen so roten Kopf gekriegt!«, sagte sie lachend.

So wechselte mein anonymer Anrufer nahezu täglich seine Identität, je nachdem, ob Kati überzeugender argumentierte oder Mila. Und wenn ich es mir mal gönnte, eine eigene Meinung zu haben, dann war diese entweder durch den konkreten Anblick des gut aussehenden Jungen im Bus beeinflusst oder durch meine immer noch ungestillte Sehnsucht nach einem Paar unidentifizierter dunkler Augen. Und zu denen schien mir manchmal die sympathische Jungenstimme am Handy fabelhaft zu passen.

»Da-da-da-da-da-da-da-da-daaaa …«

Seit einigen Tagen hatte ich mir als Rufton die ersten Takte von Elise ins Handy einprogrammiert.

»Ja?«

»Where are you going, my lovely?«

»Zum Babysitten«, sagte ich.

»Hast du so junge Geschwister?«

»Nee, ich geh zu den Nachbarn. Ich muss mir ein bisschen Geld verdienen fürs Telefonieren und so.«

»Mach mich nicht dafür verantwortlich. Durch mich hast du bisher keine Kosten gehabt, schließlich ruf immer ich an.«

Ich ergriff sofort die Gelegenheit. »Wenn du mir deine Nummer gibst, kann ich auch mal anrufen. Dann wird es billiger für dich.«

»Und das würdest du tun?«

»Was?«

»Mich anrufen?«

»Klar, warum nicht.«

Pause.

»Was ist? Gibst du mir deine Nummer?«

»Noch nicht. Vielleicht später.«

Dämlicher Typ! Da hatte ich schon frohlockt, weil ich dachte, ich hätte ihn endlich so weit, und nun war es wieder nichts.

»Du kannst mich mal!«, sagte ich erbost und drehte ihm den Saft ab.

Am Abend wartete ich vergeblich auf mein Schlaflied. Kein Anruf, nichts, gar nichts. Stille ... Leere ... Warten. Ich blätterte in einem Buch, las Worte und Sätze, ohne sie überhaupt aufzunehmen. Dreimal ging ich an den Kühlschrank, holte Joghurt, Cola und wieder Joghurt. Ich sah auf die Uhr. Mitternacht. Ich löschte das Licht. Wer war ich eigentlich, dass ich ohne diesen Handytyp nicht einschlafen konnte? Von so einem war ich doch nicht abhängig! Lächerlich! Ich wälzte mich von einer Seite auf die andere.

Lalelu, nur der Mann im Mond schaut zu ... Warum zum Kuckuck rief ER nicht an? War ER wirklich beleidigt, weil ich ihn ein bisschen angeraunzt hatte? Es war doch nur natürlich, dass ich nach diesem wochenlangen einseitigen Handyflirt allmählich die Geduld verlor und endlich mal sein Inkognito lüften wollte. Da brauchte ER nun wirklich nicht gleich eingeschnappt zu sein. Ich starrte zum Fenster. Panik befiel mich. Wenn ER nun überhaupt nicht mehr anrief? Wenn ER die Lust verloren hatte? Wenn ich nie erfahren würde, wer ER war?

Hinter dem dünnen Fenstervorhang zeichnete sich die runde Scheibe des Vollmonds ab.

Strahlender Mond, der am Himmelszelt thront, sei mein Bote für süße Gedanken …, ging mir eine von Old Mac Donalds Liebesmelodien durch den Kopf.

Und als ich wieder die Augen schloss, flehte ich inbrünstig: Bitte, lieber Mond, mach, dass ER wieder anruft!

ER meldete sich drei endlos lange Tage nicht. In der Schule lief ich rum wie durch den Wind gepustet und Old Mac Donald hatte bei der Chorprobe einen weiteren Grund zur Verzweiflung, denn jedes Wort und jeder Gedanke an Liebe trieb mir die Tränen in die Augen und Schluchzen in die Kehle.

»Hast du Liebeskummer?«, kombinierte er schließlich messerscharf, als die Einzelprobe mit Tobias vollends zum Desaster geriet. Natürlich konnte ich das einem Lehrer gegenüber nicht zugeben und schon gar nicht vor Tobias, also sülzte ich etwas von Pollenallergie und deswegen tränenden Augen.

Er schaute mich verwundert an. »Pollen? Im Herbst? Was blüht denn da noch?«

»Herbst … äh … Herbstzeitlose«, stotterte ich. »Ich bin allergisch gegen Herbstzeitlose!«

Falls doch Tobias, wie von Kati vermutet, mein anonymer Verehrer war, dann musste ihn nach dieser Szene schlicht das Mitleid überwältigt haben. ER rief mich wieder an.

Ich war gerade dabei, den Nachbarskindern ihr Abendessen, Spaghetti mit Tomatensoße, auf die Teller zu häufen, als mein Handy dudelte.

»Ja?«, meldete ich mich, aber nur um im selben Moment das formschöne Teil auf den Tisch zu werfen und zu schreien: »Nein, nein, Murkel, leg sofort die Spaghetti wieder auf den Teller!«

Murkel hatte seine gesamte Portion einschließlich der herunterkleckernden Tomatensoße in beide Hände genommen und hielt sie dem Hund hin, der mit zwei Vorderpfoten auf seinem Stuhl stand. Igitt!

Ich stürzte um den Tisch herum, riss die Bestie am Halsband zurück, bugsierte Murkels Nudelberg wieder in den dafür vorgesehenen Teller und putzte mit Küchenpapier die Soße von Fingern, Tisch und Küchenboden. Kaum war ich an meinen Platz zurückgekehrt, wanderten Murkels Hände schon wieder in den Spaghettiberg.

»Nimm die Hände aus dem Teller, Murkel!«, schrie ich.

»Aber ich hab die Hände nicht im Teller«, klang es amüsiert aus dem Handy. Aus irgendeinem Grund war die Freisprecheinrichtung eingestellt. Musste wohl beim Hinwerfen passiert sein. Na ja, war ja nicht schlecht. Hände zum Telefonieren hatte ich zur Zeit sowieso keine übrig.

»Dich mein ich doch nicht«, sagte ich und musste sogar trotz des Durcheinanders ein wenig lachen. »Oder heißt du Murkel?«

»Das verrat ich nicht.«

»Igitt! Nicht!«, versuchte ich Murkels nicht weniger kreative Schwester Pia jetzt zu bremsen.

»Ich liebe Spaghetti«, sagte ER gerade, als eine volle Ladung von Murkel das Handy unter sich begrub.

»Nein!«, kreischte ich. »Mein schönes Handy!« Und nachdem ich es freigeschaufelt hatte, seufzte ich: »Ich hasse Spaghetti!« Dann schaltete ich es sicherheitshalber aus.

Wer weiß, wie die zarte Elektronik auf Tomatensoße reagierte? Zu Hause säuberte ich es sorgfältig und stellte mit einem Testanruf bei Mila fest, dass es dank seiner Schutzhülle das Spaghetti-Attentat unbeschadet überstanden hatte.

Als ich mein Handy gerade liebevoll neben meinem Kopfkissen zur Ruhe bettete, meldete sich noch einmal mein anonymer Verehrer.

»Alles gut überstanden?«, fragte ER.

»Leidlich.«

»Alle Spaghetti da, wo sie hingehören?«

»Falls du die Bäuche der Kinder meinst, nein! Die meisten sind irgendwo in der Küche gelandet. Als die lieben Kleinen im Bett waren, konnte ich sie von Wänden und Möbeln kratzen!«

»Du Arme«, sagte ER mitfühlend. »Was lernen wir daraus?«

»Koch nie mehr für Kleinkinder Spaghetti!«

»Richtig! Bist ein kluges Mädchen! Schlaf schön und träum nicht von Spaghettibergen!« Und wie jeden Abend spielte ER mir ein Schlaflied vor, heute passend zur italienischen Nationalspeise: *Ti amo, ti amo, ti amo …*

Noch ehe ich IHN fragen konnte, warum ER sich drei Tage nicht gemeldet hatte, war das Lied zu Ende und das Gespräch auch.

Botschaften

Der Stress nahm mal wieder kein Ende.

Diesmal war Mila daran schuld. Sie meinte, sie könne nicht länger mit ansehen, wie ich mich von meinem Handytyp zum Affen machen ließe. Ich würde vor die Hunde gehen, wenn ich mich nicht umgehend aus dieser psychischen Abhängigkeit befreite. Sie sei als meine Freundin selbstverständlich bereit, das ihrige dazu beizutragen, dass endlich die Identität dieses feigen Typs enthüllt würde.

»Also, erst nehmen wir uns mal die Verdächtigen aus unserer Klasse vor. Ich werde jetzt Mark die Pistole auf die Brust setzen!«

»Um Himmels willen, nein!«, hielt ich sie zurück. »So etwas erfordert äußerstes, hörst du, wirklich äußerstes Fingerspitzengefühl.«

»Und das traust du mir nicht zu, oder was?«, schnappte sie beleidigt.

»Doch, klar, keiner hat so viel Feingefühl wie du ... aber ... also ...«

»Stotter hier nicht rum. Ich habe mir vorgenommen dich von diesem Schicksalsfluch zu erlösen, und das werde ich auch tun. Mit oder ohne deine Genehmigung.«

»Aber es ist mein Leben!«

Doch nun schaltete sich auch Kati ein. »Denk daran, was in den Tarotkarten stand. Heimlichkeiten werden der Vollendung deiner Liebe im Wege stehen. Mila hat Recht. Wir müssen mit den Heimlichkeiten Schluss machen! Der Typ muss sich offen zu dir bekennen. Dann erst wirst du glücklich werden!«

Das klang einleuchtend. Dennoch, wenn ich Mila so anschaute, hatte ich kein gutes Gefühl. Wieso mussten die beiden sich eigentlich schon wieder so intensiv um *mein* Liebesleben kümmern? Hatten sie kein eigenes?

»Du, sag mal, Kati, was ist denn aus deinem brillanten Löwe/Schwein geworden? Diesem Timo?«

»Lenk nicht ab, das steht hier nicht zur Debatte!«

»Oh doch, Vertrauen gegen Vertrauen. Ich habe euch alles gesagt und ich wünsche jetzt auch von dir alles zu hören! Was ist mit ihm?«

Kati machte ein leicht unglückliches Gesicht. »Zu brillant, der Typ. Der fand sich so megatoll, dass ich mir wie die letzte graue Maus neben ihm vorkam. Gut ausgesehen hat er ja, aber als ich ihn dann im Kino nicht gleich an meine Wäsche lassen wollte, hat er mich voll fertig gemacht. Ich sei doch schließlich nicht auf 'ner Klosterschule und ob ich vielleicht als Jungfrau in die Ehe gehen wolle und all so 'n Zeug. Ich hab ihm schließlich im Roxy die Coke ins Gesicht gekippt, die er mir spendiert hat. Das war's dann.«

Man sah ihr an, dass ihr die ganze Sache ziemlich peinlich war. Mir auch, denn mich traf ja eine gewisse Mitschuld, schließlich hatte ich ihr den Typ nach dem Horoskop vermittelt.

»Also auch ein Fehlschlag«, sagte ich. »Offenbar halten die Sterne es nicht immer mit der Wahrheit.«

»Nimm's nicht tragisch«, baute Mila sie wieder auf. »Der Typ hat dich gar nicht verdient. Der Richtige kommt schon noch. Notfalls machen wir noch einmal einen Flirt-Shop auf! Aber jetzt muss ich mich erst mal um Hanna kümmern!«

Sprach's und schob rüber zu Mark, der am Papierkorb stand und einen Bleistift anspitzte.

»Mark«, sagte sie, »ich weiß, dass du unsterblich in ein Mädchen verliebt bist. Warum gibst du es nicht offen zu?«

Kati und ich starrten uns an. Mir war schlagartig die Spucke weggeblieben und meine Zunge klebte pelzig am trockenen Gaumen. War Mila noch ganz dicht?

Mark war offenbar ähnlich irritiert, jedenfalls brachte er erst mal kein Wort heraus.

Dann sprach nicht er, sondern Knolle, der Milas nicht gerade leise gestellte Frage mitbekommen hatte. »Ist nicht wahr, Mark? Wer ist denn die Glückliche, in die du verliebt bist?«

Und Kiwi, diese Dumpfbacke, hatte natürlich nichts anderes zu tun, als durch die ganze Klasse zu grölen: »Hey Leute, der Mark ist verknallt!«

»In wen?«

»Hey, Mark, wer ist denn die Glückliche?«

Wäre ich Mark gewesen, ich wäre im Erdboden versunken. Er aber bewies ein ziemlich dickes Fell und schaute grinsend in die Runde.

Erst als Vanessa auf ihn zutänzelte und verführerisch ihr Top straffer über den Busen zog, begriff er wohl den Ernst der Lage.

»Na, Mark, hast du mir nichts zu sagen?«, hauchte sie ihm die Worte schon fast auf Kussnähe ins Gesicht.

Mark rümpfte die Nase, als hätte Vanessa gerade eine rohe Knoblauchknolle verspeist, und sagte absolut ungalant: »Mädchen, du hast wohl Gülle im Gehirn, die stinkt ja schon zum Himmel!«

Ich hatte Vanessa nie ausstehen können, aber nun tat sie mir Leid. Sie war total weiß geworden und stand erstarrt wie weiland Lots Weib, als es in den Abgrund von Sodom schaute.

In mir erwachte die weibliche Solidarität. So musste sich ein Typ wirklich nicht benehmen!

Ich machte spontan einen Schritt auf Mark zu und klebte ihm eine.

Er hielt sich die Wange und blickte mich über alle Maßen verdutzt an. Aber um möglichst cool zu wirken und sich keine Blöße zu geben, sagte er: »Verdammt, ich stehe auf temperamentvolle Rothaarige!«

Und bevor ich mich wehren konnte, hatte er mich in den Arm genommen und drückte mir vor der ganzen Klasse einen dicken Schmatzer auf den Mund. Igitt!!

Oh, nein!, dachte ich, als ich am nächsten Morgen aufwachte. Nach dem, was passiert war, konnte ich mich in der Schule nicht mehr sehen lassen!

Zwar hatten Mila, Kati und überhaupt alle Mädchen meine Ohrfeige für Mark völlig korrekt gefunden, aber dass dieser Kerl es geschafft hatte, mich danach so zu überrumpeln, machte das Ganze zu einem höchst zweifelhaften Pyrrhussieg.

Nur gut, dass die Lehrer schulinterne Fortbildung hatten und heute der Unterricht ausfiel. So hatte ich eine Schonfrist, um mein ziemlich angeknackstes Selbstbewusstsein wieder einigermaßen aufzurichten. Das Beste war wohl, ich lief erst mal eine Runde. Das erfrischte Geist und Körper und stählte für den geplanten Nachtlauf.

Im Jogginganzug setzte ich mich zu Mama an den Frühstückstisch.

Eine gute Gelegenheit, sie mal wegen der Skifreizeit anzusprechen, die im Winter anstand, und ihr die Genehmigung für die Teilnahme zu entlocken.

»Mama, macht Abfahrtsskilauf eigentlich Spaß?«, begann ich diplomatisch.

»Mir hat es Spaß gemacht.«

»Würdest du deiner Tochter dieses Vergnügen auch gönnen?«

»Gönnen oder finanzieren?« Sie blickte mich misstrauisch über den Rand ihrer Zeitung an. Schrecklich, diese Mutter ließ sich einfach nicht überrumpeln. Okay.

»Na ja, beides. Die Schule macht mit einer Sek-I-Gruppe vor Weihnachten eine Skifreizeit in den Französischen Alpen. Ich würde schon gerne mitfahren. Darf ich?« Ich schaute meine Mutter erwartungsvoll an.

Sie sagte erst mal nichts, sondern schien nachzudenken.

Also schnell noch ein paar Argumente nachschieben. »Herr Sprinter bietet nach dem Nachtlauf nämlich einen Vorbereitungskurs mit Skigymnastik an. Dafür müsste ich mich jetzt anmelden, wenn ich mitfahren will.«

»Reicht es nicht, wenn du im Harz Langlauf machst? Für Alpinski fehlt uns im Augenblick das Geld. Die ganze Ausrüstung ist viel zu teuer.«

Hörte ich recht? Das klang ja wie ein Nein!

»Aber, Mama, alle fahren doch!«

»Alle? Wirklich?«

»Na ja, alle wichtigen Leute.«

»Und wer sind die *wichtigen* Leute?«

»Na, Kati, Mila, die Hälfte meiner Klasse, die Leute aus der Sport-AG …«

Motte setzte sich an den Frühstückstisch und

hörte uns interessiert zu. »Fährt Hanna in die Berge?«, fragte sie.

»Nein«, sagte Mama.

»Ja«, sagte ich.

Mama und ich starrten uns an.

»Was denn nun? Ja oder Nein?« Motte blickte irritiert von einem zum andern.

»Eher ja«, sagte ich.

»Eher nein«, sagte Mama.

Wir mussten lachen.

»Bitte, Mama, lass mich fahren«, bettelte ich, »wir können auch fast alles ausleihen. Skischuhe, Skier, Stöcke und von euren Sachen kann ich doch sicher auch was nehmen. Dann wird es auch nicht so teuer. Und wenn ich Skifahren lerne, dann können wir doch mal alle zusammen zum Wintersport fahren. Dir und Papa macht es bestimmt immer noch Spaß.«

Ich merkte, wie Mama weich wurde, und als dann Motte mit ihrem Sinn für Gerechtigkeit sagte: »Martin habt ihr es auch erlaubt«, da hatte ich die Genehmigung so gut wie in der Tasche. Papas Zustimmung einzuholen war damit nur noch Formsache.

Total happy stand ich vom Tisch auf, drückte Motte einen dankbaren Kuss auf die Wange und startete durch.

Puh! Erschöpft ließ ich mich nach heftigem Lauf auf die Bank am Parkrand fallen. Ganz schön aus der Puste. Dass frau sich aber auch so quälen musste. Nur weil ich mir in den Kopf gesetzt hatte, in diesem Jahr in die Schulmannschaft für den Nachtlauf zu kommen! Sechs Kilometer um die City! Da würde ich ja schon nach drei Kilometern zusammenbrechen, wenn ich nicht noch etwas für meine Kondition tat.

Die faul am Swimmingpool auf Mallorca verbrachten Sommerferien hatten diesbezüglich wenig bewirkt. Trekking im Himalaja hätte ich machen sollen. Im Grunde war ich nämlich nicht ohne sportlichen Ehrgeiz und immer eine gute Läuferin gewesen. Aber zurzeit war ich ganz schön von der Rolle! Ein leicht asthmatisches Hüsterchen drang aus meiner Kehle. Ich holte tief Luft, um wieder loszudüsen, als das Handy sich meldete.

Ach, verflixtes Ding! Warum hatte ich es eigentlich nicht zu Hause gelassen! Wenigstens beim Laufen hätte ich mir ja mal eine Auszeit gönnen können. Musste ich denn eigentlich wirklich immer und überall erreichbar sein für diesen … diesen Telefonterroristen, der sich auf drahtlosen Sohlen in mein Leben geschlichen hatte?

Aber komisch, heute stieß mein Handy eine kurze, mir völlig unbekannte Tonfolge aus. Wie ein Tamagotchi kurz vorm Abkrepeln. War es krank?

Ich klemmte es schnell vom Hosenbund ab und starrte es besorgt an. Was war denn das? Auf dem Display erschienen plötzlich wie von Geisterhand geschriebene Worte.

ICH BIN TOTAL IN DICH VERKNALLT, stand dort. Was war denn das für ein neuer Trick?

Es dudelte noch einmal. Ein vertrauter Rufton: Beethovens *Elise.*

Ich drückte die Annahmetaste. »Ja?«

ER war es. »Schon gelesen?«

»Was?«

»Meine SMS.«

»Ach, von dir ist die«, tat ich erstaunt. »Wie macht man so was?«

»Einfach das richtige Mädchen ausgucken und den besten Anmachspruch tippen. Willst du es nicht auch mal ausprobieren?«

Hoppla, da bot sich ja die Chance, ein Stückchen hinter sein Geheimnis zu kommen. »Dann gib mir erst mal deine Handynummer«, sagte ich.

»Später«, blockte ER sofort wieder ab. »Was machst du denn gerade?«

»Ich bin beim Joggen. Muss für den Nachtlauf trainieren.« Kaum hatte ich das gesagt, schalt ich mich einen Blödkopf. Das musste ich dem Typ doch nun wirklich nicht auf die Nase binden. Ziemlich abrupt muffelte ich ein schlappes »Ciao« ins Handy und drehte dem Ding den Saft ab. Ich klippte es wieder hinten an den Hosenbund, machte ein paar Stretchings und trabte weiter. SMS! Was dem Typ auch immer so einfiel!

»Was ist denn mit dir los?«, fragte Kati am nächsten Morgen, als wir uns vorm Schultor über den Weg liefen. »Du läufst ja wie ein Zombie durch die Gegend!«

Und auch Mila wunderte sich. »Was starrst du denn immer wie im Tran auf dein Handy?«

»SMS!«

»Wohl eine neue Sorte von Rinderwahnsinn?«, tippte Kati.

»Kann man so sagen.« Ich fand, dass dieses neue Spielchen sich durchaus zu etwas Ähnlichem in der Telekommunikation entwickeln konnte.

»Quatsch«, sagte Mila. »Das heißt SadoMaSo!«

Sie wollte die handymäßig unterbelichtete Kati wohl auf den Arm nehmen.

Kati war alarmiert. »Machst du so einen Schweinkram übers Handy?«

Ich wollte ja ernst bleiben, aber das Lachen gluckerte so heftig in meiner Kehle, dass ich es einfach herauslassen musste.

»Ihr habt ja eine schöne Meinung von mir!« Ich japste nach Luft. »Ruft wohl immer heimlich die 0190er-Nummern an, wie?«

Kati schüttelte den Kopf. »Das geht gar nicht, die haben meine Eltern sperren lassen!«

»Und mit deinem Handy geht das?«, fragte Mila ein bisschen zu interessiert.

»Willst du es ausprobieren?«, neckte ich sie und erinnerte mich daran, wie wir mal beim Telefonchat in den Ferien in einem völlig versauten Chatroom gelandet waren. Mila erinnerte sich da offenbar auch noch dran, denn sie lehnte dankend ab.

Wir hatten inzwischen das Schulgebäude betreten und stiegen die breite Steintreppe zu unserem Klassenzimmer hoch.

Mila wurde ungeduldig. »Nun sag schon, was steht drin in dieser SMS?«

»Geheimnis! Verrate ich nicht.«

»Ach komm, ich dachte, wir sind Freundinnen?«

»Na gut. Niedliche kleine Botschaften. Hier, stehen auf dem Display.«

»Wie cool! Lass sehen!«

Ich hielt Mila das Handy unter die Nase, aber Kati schnappte es sich vorher mit den Worten: »Zeig mal!«

»He, gib das Ding wieder her«, rief ich und riss es wieder an mich.

»Mensch, stell dich nicht so an. Ich will ja bloß mal gucken!« Sie starrte über meine Schulter auf die Anzeige und begann laut vorzulesen: »*LOVE U …*«

»Nein!!!«, kreischten Mila und ich gleichzeitig.

Sie aus Sensationslust und ich wegen der Peinlichkeit.

Ich steckte das Handy in die Jackentasche. Sehr zum Missvergnügen meiner neugierigen Freundinnen.

»Wir gucken dir schon nichts weg!«, sagte Kati. »Brauchst dich nicht so anstellen.«

»Wer weiß«, sagte ich.

»Ist unsere Freundin vielleicht ein bisschen zickig?«, stichelte Mila.

Aber Kati sagte plötzlich verständnisvoll: »Wenn sie aber doch gerade eine Botschaft kriegt. Vielleicht will sie die erst mal selber lesen. Du willst ja auch nicht gestört werden, wenn du einen Liebesbrief liest.«

»Danke.« Ich fragte mich allerdings, von wem wohl Mila Liebesbriefe kriegen sollte. Von dem verfressenen Zwillingspferd vielleicht?

Ich hängte meine Jacke an den Haken und verstaute das Handy in meinem Rucksack.

Jetzt wollte ich nicht weiterlesen. Gut, dass so ein Teil die Botschaft speicherte. Würde ich in der kleinen Pause mal schnell auf dem Klo zu Ende lesen. Ich war sicher, dass die Message von IHM war. Wer sonst sollte mir per Handy eine Liebeserklärung machen?

Mila hatte wohl das Gleiche gedacht, denn als wir an unseren Tisch rutschten, fragte sie: »Ist die Botschaft von IHM?«

»Wenn du mich mal hättest auslesen lassen!«

In der großen Pause musste ich den beiden dann doch alles noch mal genauer erzählen. »Es kam ganz überraschend für mich. Gestern beim Joggen stand plötzlich die erste Nachricht auf dem Display. War ein richtiger Schock.«

»Nein, wie romantisch!«, lästerte Mila.

Ich ersparte mir, darauf einzugehen. Völlig emotionslos fuhr ich mit meiner Erklärung fort: »Ich wusste gar nicht, dass mein Handy auf SMS eingerichtet ist. Hab mir natürlich gleich die Bedienungsanleitung angeguckt, weil ich IHM gerne eine Antwort geschickt hätte. Geht aber nicht, wenn er seine Nummer unterdrückt.«

»Dieser Geheimniskrämer!«, schimpfte Mila, in der Miss Marple wiedererwachte. »Aber das ist ja rasend interessant. Vor allem grenzt das den Kreis der Verdächtigen erheblich ein. Dein unbekannter Verehrer ist jedenfalls handymäßig echt cool. Trotz dieser romantischen Fehlschaltung in seinem Gehirn!«

»Warum muss jemand, der in mich verknallt ist, eine Fehlschaltung im Gehirn haben?«, fragte ich pikiert.

Mila seufzte. »Also, du bist heute echt etwas komisch drauf!«

Wir konnten unsere Auseinandersetzung nicht weiter vertiefen, weil unser Mathelehrer Rumpelstilzchen in die Klasse kam.

Er rieb sich gleich, nachdem er seine Aktentasche auf den Lehrertisch geknallt hatte, verdächtig ausdauernd die Hände. Das milde, fast schon als hinterhältig zu bezeichnende Lächeln verriet nichts Gutes. Ich konnte mir lebhaft vorstellen, wie er im Geiste ums Feuer tanzte und sang: »Ach, wie gut, dass niemand weiß, dass ich immer wieder einen fiesen Trick finde, meine Schüler zu ärgern!«

So auch heute. Die Aufgaben, die er uns im Lauf der Stunde um die Ohren knallte, waren absolut ätzend.

Ich schielte zu Mark rüber, unserem Mathe-Ass. Mark hatte seit dem »Vorfall« einen großen

Bogen um mich gemacht, offenbar voll das perso-
nifizierte schlechte Gewissen. Dabei konnte er
ruhig bleiben. Er war mir am sympathischsten,
wenn etwas ganz Bestimmtes zwischen uns war:
Abstand! Und davon reichlich!

Vorm Chor hatten wir eine Freistunde. Wir gingen
in den Citypoint und holten uns einen Snack auf die
Hand. Es dauerte nicht lange und zwischen Pizza-
kauen und Colaschlürfen kam das Gespräch wieder
auf IHN.

»Der Typ ist aber echt dreist drauf«, meinte Mila
anerkennend. »Wenn ich so überlege, könnte es
vielleicht doch Mark sein. Der ist frech genug und
ja auch ein ausgemachter Computer-Crack. Zu
dem würde es passen.«

»Lass mich bloß mit Mark in Ruhe«, brauste ich
bei der Erwähnung seines Namens auf.

»Aber dass er was von dir will, ist ja jetzt wohl
glasklar. Der würde dich doch kaum vor der ganzen
Klasse küssen, wenn er keine ernsten Absichten
hätte!«

»Seine Absichten müssen sich aber nicht unbedingt mit meinen decken«, gab ich zu bedenken.

»Egal.« Mila blieb stur. »Diese SMS ist doch
immerhin ein neuer Hinweis, dem wir gezielt nach-
gehen können. Ich werde Mark gleich beim Chor
noch mal auf den Zahn fühlen.«

»Aber vorsichtiger als letztes Mal!«, bat ich mir
aus. Ehrlich gesagt war es mir gar nicht recht, dass
sie sich so aufopfernd um meine Beziehungen kümmerte. In diesem Fall war es mir sogar ausgesprochen unlieb. Ich war gar nicht so scharf darauf, das
Geheimnis um SEINE Identität zu lüften, zumindest nicht, wenn das Geheimnis Mark hieß.

Kati hingegen hielt immer noch an ihrer Lieblingstheorie fest. »Tobias«, sagte sie. »Es kann nur Tobias sein. Schließlich ist es nicht schwer, so eine SMS zu verschicken. Technisch, meine ich. Die Frage ist doch vielmehr, wer ist romantisch genug, es zu tun? Na? Ist doch glasklar: Hab ich nicht immer schon gesagt, dass Tobi in dich verknallt ist!«

»Du sagst Tobias, aber Mila tippt eher auf Mark.«

»Niemals!« Kati klang direkt erregt. »Dem fehlt es dafür völlig an Stil. Der hat doch nicht die Spur von Sensibilität. Denk mal dran, wie der dich vorgestern überfallen hat und wie süß Tobias mit dir das Liebesduett gesungen hat. So reagiert nur einer, der bis über beide Ohren verliebt ist.«

Beim letzten Satz war ihre Stimme so seltsam samtig geworden, dass ich sie erstaunt ansah. Sollte sie selbst ein Auge auf diesen süßen, sensiblen Tobias geworfen haben? Diesen Kuschelteddy? Ach, herrje! Was zeichneten sich da wieder für Komplikationen ab.

»Also«, schlug ich schließlich genervt vor, »dann fühl du doch am besten Tobias auf den Zahn.«

Wenn schon im Chor zahntechnische Spionage angesagt war, dann konnte auch gleich gründlich vorgegangen werden. Mila würde bei Mark und Kati bei Tobias bohren. Auch wenn ich bezweifelte, dass mehr als ein Schmerzensschrei – bei wem auch immer – dabei herauskommen würde.

Die Aula war schon gerammelt voll. Klar, heute sollten wir ja zum ersten Mal mit der Bigband zusammen proben.

Die Leute von der Bigband saßen bereits auf der Bühne und stimmten ihre Instrumente. Die Orchesterleiterin Frau Wagner tat es Old Mac Donald gleich und schlug immer wieder auf dem Flügel das A an. Ein paar Mädchen vom Chor, die am Bühnenrand hockten, trällerten es schon einmal versuchsweise nach. Ich schielte zu den Jungen aus der Bigband rüber. Der Typ mit dem Cello würde mir gefallen, dachte ich. Der hatte so was Melancholisches. Lange Haare, die ihm in die Stirn fielen, und ... mein Herzschlag stockte ... diese dunklen Augen. Das gibt's doch nicht, dachte ich atemlos vor Aufregung. Das war ja der Junge, in den ich mich auf der Sek-I-Fete verguckt hatte! Ich hatte ihn gefunden! Wirklich und wahrhaftig! Meine Hände wurden feucht und meine Augen waren dabei, mir aus dem Kopf zu springen. Ich musste mich dringend in eine Ecke verdrücken, von wo aus ich ihn unauffällig beobachten konnte.

Ich hockte mich in eine der seitlichen Fensternischen und schielte zur Bühne. Was der für feine Hände hatte. Und wie gefühlvoll er den Bogen über die Saiten strich. Wenn der nicht sensibel war! Tja, aber der war ja mindestens in der Zehnten und interessierte sich sicher überhaupt nicht für eine kleine Achtklässlerin!

Inzwischen richteten meine Freundinnen ihren verbissenen Spürsinn zunächst mal folgerichtig auf unseren Jahrgang.

Erst mal machte sich Mila an Mark ran. »Sag mal, Mark«, fragte sie in ihrer unverblümten Art, »hast du schon mal übers Handy Liebesbriefe verschickt?«

Ach du Schreck! Das war ja schon kein Elefant mehr, sondern ein Dinosaurier, der hier den Porzellanladen zertrümmerte!

Hätte sie nicht schlicht nach einer Message fragen können? Musste sie ausgerechnet Liebesbrief sagen? Nein, wie peinlich!

Mark schaute sie mit einem unsicheren Blick an. »Äh, wie meinst du das?«

Mila hatte ihren Patzer inzwischen selbst bemerkt. »Rein theoretisch, wirklich rein theoretisch«, sagte sie, um jede aufkommende Spekulation gleich im Ansatz zu ersticken. »Du bist doch technisch interessiert und ich habe mir gedacht, im Zeitalter der Telekommunikation würden Jungen heute für eine Liebeserklärung lieber eine SMS als die Post benutzen. Ich mach da gerade 'ne Umfrage für die Schülerzeitung und ich würde gerne wissen, wie du das siehst?«

»Hm.« Er schien etwas beruhigt. »Klar ginge das über SMS. Hab da aber noch nicht wirklich drüber nachgedacht.«

»Würdest du in einer SMS *Ich liebe dich* schreiben?«

Ich dachte, ich kriege einen Hörsturz. Die tickte ja wohl nicht mehr ganz richtig.

Mark schien das jedoch gelassen zu nehmen. »Klar, warum nicht. Aber am besten benützt man beim SMS Abkürzungen. So ...« Er zog sein Handy raus und tippte etwas ein.

»HDL?«, fragte Mila. »Was heißt das denn?«

»Kannste nicht raten?«

»Nee. Übersetz mal.«

Mark kicherte. »Das heißt *Hab dich lieb*. Und HDGDL heißt *Hab dich ganz doll lieb*. Mit ein paar Zeichen kannste im Prinzip alles schreiben. Von Mistbock bis zur Liebeserklärung. Von englischen Vokabeln bis zu mathematischen Gleichungen.«

Mila schien noch nicht alles zu verstehen, aber mir ging blitzartig ein Licht auf: Diese Short Messages konnten sich als sehr brauchbare kleine Helfer bei diversen Tests einsetzen lassen! Musste ich mal versuchen. Schließlich war es mir ja schon von den Sternen her bestimmt, ab und an mal ein bisschen zu mogeln! Ich wusste auch schon, wann und wo. Rumpelstilzchen musste dran glauben! Und Mark würde mir dabei helfen. Wenn er wirklich in mich verknallt war, konnte er es mit einem kleinen Liebesdienst, der meiner Mathenote zugute kam, ja mal unter Beweis stellen!

Zunächst aber war Chorprobe angesagt.

Frau Wagner und Old Mac Donald waren eine echt heiße Kombination. Sie hatten sich diesmal vielleicht etwas viel vorgenommen und waren dementsprechend hektisch.

Nach Santa Lucia probten wir nun *Dat du min Levsten büst,* was den Knaben im Chor mal wieder prächtigen Stoff für Zoten lieferte. Besonders die Stelle mit der heimlichen Einladung ins Schlafzimmer erfreute sich größter Beliebtheit. Dass Frau Wagner noch nicht entnervt den Taktstock von sich geworfen hatte, war allein dem Umstand zu verdanken, dass sie keinen benutzte, sondern mit weit ausholenden Armbewegungen dirigierte.

Wir standen nach Stimmlagen getrennt auf der Bühne. Mich hatte das Schicksal in die Nähe des melancholischen Cellisten geschoben. Leider stand mir ausgerechnet Knolle im Weg.

Ich versuchte ihn unauffällig ein bisschen zur Seite zu schubsen und mich in die entstehende Lücke zu quetschen, aber Old Mac Donald vereitelte meinen Coup sofort.

»Hanna, bleib bitte im Glied!«, rief er zu mir rüber. Anzügliches Gemurmel bei den Jungen. Ich kriegte rote Ohren und trat rasch wieder neben Kati. Knolle grinste unverschämt.

Erschöpft von den Proben machten wir uns am Nachmittag auf den Weg zum Bus.

»Na«, fragte Mila, »was meinst du? Ich glaube, dass Mark der geheimnisvolle Anrufer ist. Hast du gehört, er würde ohne Weiteres eine Liebeserklärung per SMS schicken. Er hat sich nur ein bisschen blöd gestellt, damit wir keinen Verdacht schöpfen.«

Weil ich mir was Traumhafteres vorstellen konnte, hielt sich meine Begeisterung in Grenzen, und es erleichterte mich, von Kati zu hören, dass sie das ja nun ganz anders sah. Leider sei sie heute nicht an Tobias rangekommen, aber morgen …

An der Haltestelle trennten sich unsere Wege. Mein Bus war um diese Zeit ziemlich leer. Ich ließ mich auf einen freien Sitz fallen und zog mein geliebtes Handy heraus. Es zeigte mir an, dass bereits eine neue Message auf mich wartete. Mit klopfendem Herzen las ich: *HI, LOVELY. HDGDL!*

Ach du gepunkteter Salamander! Das sah ja nun wirklich verdammt nach Mark aus, genau das hatte er doch vorhin Mila vorgeführt! Als ich erschüttert aufblickte, sah ich in das amüsierte Lächeln des Bustyps. Was machte denn der jetzt hier? Der fuhr doch sonst immer nur morgens mit? Völlig irritiert lächelte ich zurück.

Am nächsten Tag hatten wir in der ersten Stunde Geschichte bei Dr. Würfel. Eigentlich hieß er Wülfer, aber weil sich beharrlich das Gerücht hielt, er würde seine Noten auswürfeln, war irgendwann dieser Spitzname an ihm hängen geblieben und wurde von Schülergeneration zu Schülergeneration weitergereicht.

Ich selbst zählte mich auch zu seinen Würfelopfern, denn ich konnte machen, was ich wollte, in seinen Fächern reichte es mal gerade so zum Überleben. Was ich auch sagte, stets bescheinigte er mir mit schadenfrohem Lächeln, dass ich mal wieder nicht den Durchblick hätte. Aber wie sollte man auch bei seinem Unterrichtsstil! Absolut die gepflegte Ödnis! Ich jedenfalls brauchte ab und zu mal ein paar träumerische Gedankenspaziergänge, um das auszuhalten.

Genau dafür hatte er aber einen untrüglichen Riecher. Da find mal schnell in die Geschichtsstunde zurück, wenn du gerade durch den bunten Herbstwald läufst, womöglich mit einem Traumtypen wie diesem Jungen aus dem Bus an deiner Seite.

»Hanna …« Na prächtig, da hatte es mich also mal wieder erwischt.

»Ja«, erwiderte ich zögerlich und nach einer allgemein gültigen Einleitung fischend, um mich erst mal zu sammeln. »… Aus heutiger Sicht …«

Er unterbrach mich brutal und ließ mir zum Sammeln keine Zeit. »Ich habe nicht nach der heutigen Sicht gefragt, sondern nach den Ursachen für die europäische Besiedelung Nordamerikas. Kommt da noch was oder kann ich die Frage weitergeben?«

Wäre wohl das Beste, dachte ich, aber noch einen Totalausfall konnte ich mir nicht leisten, also druckste ich herum: »Also … hm … Nordamerika wurde von den Europäern besiedelt.«

»Das habe ich gerade gesagt«, unterbrach er erneut. »Warum es besiedelt wurde, war die Frage.«

Ja, warum denn nur? Was gab es in Amerika, was es in Europa nicht gab? Amerika war das Land der unbegrenzten Möglichkeiten, etwas musste es da doch geben, was unserem Würfel gefallen würde. Klar, das war es!

»Wegen der unbegrenzten Möglichkeiten«, platzte ich heraus und wiederholte noch einmal stolz: »Die haben es wegen der unbegrenzten Möglichkeiten besiedelt!«

Statt zweimal sagen wäre zweimal denken nicht schlecht gewesen.

Würfel grinste süffisant. »Diese Antwort zeugt davon, dass zumindest deine Möglichkeiten in diesem Fach begrenzt sind. Sechs!«

Wieder einmal waren die Würfel gefallen. Wenn das so weiterging, wurde es langsam kritisch.

»Ich sehe schwarz für meine Geschichtsnote«, sagte ich in der Pause. Aber Mila und Kati hatten andere Interessen.

»Das packst du schon noch«, versprühte Kati Zweckoptimismus. »Ich gehe jetzt mal Tobias aushorchen.«

Und schon stolzierte sie rüber zur Jungenecke, wo Tobias eine Coladose kickte. Irgendwie hatte ich das unbestimmte Gefühl, dass sie nicht nur meinetwegen seine Nähe suchte. Sie wechselte ein paar Worte mit ihm, die ich auf die Entfernung nicht verstand. Jedenfalls hörte er nicht auf, die Coladose zu malträtieren und sie weiterhin gegen die Fußleiste zu treten. Ich schloss daraus, dass er Katis Fragen nicht allzu viel Bedeutung beimaß.

Als sie wiederkam, klang das allerdings anders. »Der ist es. Ich sage dir, der ist es. Er hat mir sogar ein halbes Dutzend Abkürzungen fürs schnelle Simsen genannt. Einfach so. Aus dem Kopf. Ich wette, der hat dir die Messages geschickt.«

Ich schaute auf den schlanken, kickenden Jungen. Er war wenigstens keiner von diesen Machotypen. Irgendwie war er ganz witzig und in der Klasse auch recht beliebt. Insgesamt gehörte er eher zu den Stilleren im Lande. Aber stille Wasser gründen ja tief. Wer weiß, was für geheime Gedanken in seinem blonden Lockenkopf steckten?

Als es klingelte, hob Tobias die Coladose auf und warf sie in den Mülleimer. Irgendwie kam er mir vor wie Mamas Liebling.

»Aber der singt doch noch Knabentenor«, sagte ich zu Kati. »Der Typ am Handy, der klingt schon wie ein Mann!«

»Vielleicht verstellt er sich«, meinte Kati.

»Klar, wie der große böse Wolf. Und statt Kreide hat er Kohlen gefressen!«, nahm Mila sie auf die Schippe. »Das sagst du doch nur, weil du nicht zugeben willst, dass Hanna Recht hat und du dich mit Tobias täuschst. Mark piepst jedenfalls nicht so rum!«

Ehe sie sich in die Haare geraten konnten, kam Rumpelstilzchen mit Übungsblättern in die Klasse. Das konnte nur heißen, dass der nächste Mathe-Test nicht mehr weit war. Nach der Stunde machte sich allgemeine Ratlosigkeit breit. Außer zwei oder drei Mathe-Assen hatte niemand Rumpelstilzchens Erklärungen begriffen.

Jetzt war der Zeitpunkt gekommen, um meine SMS-Idee in die Tat umzusetzen. Und Mark dranzukriegen. Für diesen Kussüberfall war er mir noch Genugtuung schuldig! Und für das, was ich von ihm wollte, spielte es überhaupt keine Rolle, ob er nun der Handytyp war oder nicht. Es genügte vollkommen, dass er in Mathe unschlagbar war.

»Sag mal, Mark«, noppte ich mich an ihn ran, »wie perfekt bist du eigentlich mit SMS?«

Er sah mich durchdringend an. »Ist das eine Verschwörung? Mila hat mich auch schon danach gefragt.«

»Nein, nein. Ich mach das ganz auf eigene Rechnung.« Rechnung ist gut, dachte ich und kicherte über mein unabsichtliches Wortspiel.

»Aha ...« Mark schien der Sache nicht zu trauen.

»Also, sag schon«, startete ich einen zweiten Versuch, »bist du richtig fit in SMS?«

»Klar, ist ja nichts dabei.«

»Würdest du mir einen Gefallen tun?«

Er sah mich an wie ein Alien von einem fremden Stern. Bisher hatte ich ihn ja immer ziemlich schroff behandelt und nun bat ich ihn um einen Gefallen. Irgendwie verstand er wohl die Welt nicht mehr.

»Du weißt doch, ich bin in Mathe ziemlich schlecht. Ich müsste mal dringend einen ordentlichen Test schreiben. Und da habe ich gedacht, dass du mir vielleicht dabei helfen könntest.«

»Nachhilfe?«, fragte er mit unterschwelliger Hoffnung.

»Äh, eigentlich weniger, also jedenfalls im Moment nicht«, sagte ich, um ihn nicht gleich ganz zu verprellen. »Mir wäre schon sehr damit gedient, wenn du mir beim Test über SMS die Rechenwege mal rüberschicken könntest.«

Er lachte frech. »Aha, neue Technologie des Mogelns.«

»Ist ja nicht wirklich gemogelt. Ich will nur die Rechenwege, nicht die Ergebnisse.«

»Na, das ist ja nun sehr spitzfindig. Geschummelt ist es so oder so.«

»Na ja, und wenn. Machst du es? Rumpelstilzchen ist selbst schuld. Warum erklärt er Mathe nicht mal so, dass es auch jeder versteht?«

Mark sah mich lauernd an. »Und warum sollte ich dieses Risiko für dich eingehen? Was springt für mich dabei raus?«

Oje, das hätte ich mir ja denken können, dass er nicht aus reiner Mitmenschlichkeit so eine Sache machte.

»Nenn deinen Preis«, sagte ich großspurig. Würde ja sehen, ob er bezahlbar war.

Er dachte kurz nach. »Okay, wenn ich es mache, kommst du am Montag ins Harlekin.«

Mann, drehte der ab? Harlekin? Da durfte man doch erst ab sechzehn rein. Da fehlten mir noch zwei schlappe Jährchen.

Als ich ihm das sagte, grinste er nur. »Ach, das kriegst du schon hin. Ist doch *Bizarre Monday*, wenn du dich entsprechend stylst, siehst du aus wie deine eigene Großmutter.«

Ob das erstrebenswert war? Na gut, ich konnte es ja mal mit Mila und Kati besprechen. Einen Versuch war es wert. Wenn er nicht mehr wollte.

»Okay«, sagte ich also forsch.

»Dann gib mir mal deine Handynummer.«

Während ich ihm die Nummer auf einen Zettel schrieb, dachte ich, entweder weiß er sie wirklich nicht oder er ist ziemlich schlau!

»Stell aber den Rufton aus«, warnte er mich noch.

Sein selbstgefälliges Grinsen ließ mir die Galle hochsteigen. Er glaubte doch echt, mich mit der Kussattacke beeindruckt zu haben!

Kati und Mila war mein gesteigertes Interesse an Mark nicht entgangen. So musste ich ihnen auf dem Weg zum Bus alles haarklein erzählen.

»Aber in einem bin ich mir jetzt ziemlich sicher«, sagte ich abschließend, »mein heimlicher Verehrer ist der nicht. Der hat ja nicht mal meine Handynummer gehabt.«

»Du bist naiv«, sagte Mila lächelnd, »glaubst du, der ist so blöd sich auf so dämliche Art zu verraten? Du solltest ihn doch für etwas cleverer halten.«

Und diesmal stimmte auch Kati zu. »Er hat ja wirklich keinen Grund für dich zu mogeln, es sei denn, er will mit dir ernsthaft was anfangen.«

»Das werden wir dann ja im Harlekin sehen«, sagte ich. »Oder gehen wir besser nicht?«

Da kannte ich aber die Unternehmungslust meiner Freundinnen schlecht. Einstimmig riefen sie: »Aber natürlich gehen wir!«

Und als Mila anbot, die Möglichkeiten des mütterlichen Frisiersalons zu diesem Zweck zu nutzen, war die Sache gebongt.

Zwei Tage später stieg der Mathe-Test. Alles klappte wie am Schnürchen. Als wir die Testbogen hatten, begann Mark ziemlich bald den Rechenweg der ersten Aufgabe rüberzuschicken. Ich hatte das Handy ganz offen auf den Tisch gelegt und Mark ebenfalls. Seins sah ohnehin wie ein Taschenrechner aus. Und da wir den benutzen durften, fiel es gar nicht auf, dass er da immer drauf herumtippte.

Außerdem nahm ich an, dass Rumpelstilzchen mit moderner Technologie noch nicht so vertraut war und sich somit auch nicht vorstellen konnte, dass man mit einem Handy irgendwas anderes machen konnte als telefonieren.

Er schritt anfangs mehrmals durch die Reihen und ließ seinen kontrollierenden Blick schweifen, nahm aber keinen Anstoß an den Handys. Als er sich dann an den Lehrertisch setzte, um seinen klugen Kopf hinter die entsprechende Zeitung zu stecken, legte Mark sofort los. Da er mir freundlicherweise gleich die kompletten Lösungen lieferte, brauchte ich nur abzuschreiben, was auf meinem Display erschien. War wirklich pippig. So leicht müsste jeder Mathe-Test sein. Rumpelstilzchen würde Stielaugen kriegen, wenn der meinen Testbogen sah. Damit war ich schlagartig wieder im grünen Bereich.

Hätte ich geahnt, was ich mir damit eingebrockt hatte, hätte ich um Mark und SMS einen weiten Bogen gemacht und mit Freuden eine ehrliche Fünf geschrieben.

Schon am nächsten Schultag meinte Mark, sich nun mir gegenüber plumpe Vertraulichkeit leisten zu können. Er schlenderte auf dem Schulhof an unser Grüppchen heran und quatschte mich einfach von der Seite an, obwohl ich gerade mit Mila und Kati sprach.

»Na, alles paletti? Ist doch voll gut gelaufen, oder?«

Ich schaute mich um. Es musste ja nicht jeder gleich mitkriegen, dass wir da etwas miteinander gedreht hatten.

»Das bleibt aber unter uns«, sagte ich. Jetzt erst wurde mir brühheiß bewusst, dass ich mich mit dieser Mogelaktion total in seine Hand begeben hatte. Wenn er wollte, konnte er mich damit voll erpressen. Und ein bisschen tat er es ja schon.

»Wenn es bei dir bei Montag im Harlekin bleibt«, spielte er gleich seinen Joker aus.

»Bleibt es«, sagte ich kühl, um ihn loszuwerden, aber Mila und Kati waren scharf darauf, mehr über die Disko zu erfahren. Da er schon sechzehn war – Ehrenrunde! –, war er ein regelmäßiger Disko-Gänger und kannte sich in der Szene bestens aus.

»Und wegen der Kontrollen müsst ihr keine Angst haben. Wenn ihr am Eingang überzeugend seid und durchkommt, kontrolliert bis zwölf Uhr keiner mehr. Danach kann es allerdings schon mal vorkommen, denn dann müssen alle, die jünger als achtzehn sind, raus. Jugendschutzgesetz.«

Als die große Pause zu Ende war, war der Bedarf an Infos gedeckt und es stand für Mila und Kati fest, dass es das ultimativ Steilste war, sich am *Bizarre Monday* ins Harlekin zu schmuggeln. Mark hin, Mark her.

Was hatte ich da bloß angerichtet.

Rumpelstilzchen hatte sich selbst übertroffen. Nur ein Wochenende hatte er gebraucht, um den Test zu korrigieren.

Gleich am Montagmorgen knallte er den Stapel auf den Lehrertisch. Als er die Arbeiten austeilte, zögerte er bei meinem Namen. »Pfefferkorn«, sagte er in nachdenklichem Tonfall, »Hanna Pfefferkorn. Ein verkanntes mathematisches Genie.«

War ja wohl ganz gut gelaufen, frohlockte ich innerlich. Aber als ich vorne bei ihm ankam, um meine Testbögen in Empfang zu nehmen, sprang er plötzlich ganz unverhofft auf und starrte mich absolut finster an. Dabei zischte er mit aller Boshaftigkeit, der seine Stimme mächtig war: »Ich weiß nicht, wie du es gemacht hast, aber ich weiß, dass du bei Mark abgeschrieben hast. Ich warne dich. Noch mal eine derart gute Arbeit und ich zerre dich zum Rektor!«

Ich fühlte die Blicke aller Mitschüler in meinem Nacken. Wie peinlich.

Und auch ohne Rumpelstilzchens Warnung kam ich zu dem Schluss, dass ich mich einer solchen

Situation nicht noch einmal aussetzen würde. Aber die Reue kam ein bisschen spät.

Als wir mittags durch das Schultor gingen, lehnte dort Mark mit seinen Mannen und erinnerte mich an die Bezahlung meiner Schulden.

»Vergiss nicht, heute Abend, Mäuschen«, sagte er grinsend.

»Wir sehen uns im Harlekin. Ciao.«

Ich nickte schweigend, während meine Freundinnen für mich antworteten und vor Tatendurst schier zu platzen schienen.

Und noch im Bus fragte ich mich, warum immer ich mich in derart unmögliche Situationen bringen musste: *How bizarre!*

Bizarre Monday

Wir trafen uns bei Mila. Ihre Mutter hatte ja den Frisiersalon und war außerdem voll schräg. Sie machte nämlich nicht nur Haare, sondern auch Schönheitspflege, Henna-Tattoos, Piercings … Kurz, ihr Salon war ein ganz angesagter Szeneschuppen. Klar, dass wir uns bei jeder Gelegenheit gerne bei Mila tummelten.

Um acht Uhr machte ihre Mutter den Laden meist dicht. Dann kriegte Mila zehn Euro und ging ans Aufräumen. Haare wegfegen, Bürsten und Kämme säubern, Föhne wegpacken, Handtücher in die Waschmaschine werfen, Haarclips und sonstige Utensilien in Desinfizierlauge legen und so weiter. Für uns war es voll die Gaudi, ihr dabei zu helfen und mal eben nebenbei ein paar neue Trendfrisuren auszuprobieren. Wie ich Mila beneidete. Gut, dass sie meine beste Freundin war. Bei ihr fanden wir jedenfalls alles, was wir brauchten, um uns für einen bizarren Montag im Harlekin zu stylen.

Ich hatte mich ganz in Schwarz gekleidet und eine lila Fransenstola von meiner Oma eingepackt.

Als ich die rausholte, kriegte Mila einen Lachkrampf. »Wie entsetzlich!«, keuchte sie. »Zu deinen roten Haaren ist das ja absolut tödlich!«

Ich war etwas beleidigt. Wer lässt sich schon gerne einen schlechten Geschmack bescheinigen.

»Na ja, dann ist es ja wohl bizarr genug«, sagte ich pampig.

»Bizarr heißt nicht stillos«, schlug Mila weiter in die Kerbe.

Reichlich sauer stopfte ich das Teil wieder in die Plastiktüte.

Kati versuchte zu vermitteln. »Also, ich finde es ganz abgefahren. So richtig schön schrill. Vielleicht kann Hanna ihre Haare lila färben. Das käme doch sicher gut.«

Ich starrte Kati an. »Das ist ja vielleicht ein krasser Einfall!«

Aber Mila fand das genial. »Klar, das machen wir. Die schwarzen Klamotten und dann diese lila Akzente. Pass auf, das wird voll das gute Styling.«

Sie wartete meine Einwilligung gar nicht erst ab, sondern lief ins Lager, um nach dem passenden Tönungsspray zu suchen.

»Halt, stopp!«, rief ich ihr hinterher. »Das könnt ihr nicht mit mir machen!«

Kati kicherte. »Klar können wir.«

»Und du?«, fragte ich sie. »Willst du vielleicht so, als das liebe Blondchen gehen, während ich wie ein Karnevalsjeck aussehe? Ein bisschen müssen wir schon zusammenpassen.« Ich schaute sie mit einem leicht gehässigen Grinsen an. »Wie wäre es denn mit einer neongrünen Tönung?«

»Igitt!« Sie schüttelte sich angewidert.

»Aber Lila bei mir ist okay, oder was?«

Mila kam zurück und erstickte unser Streitgespräch im Keim. Sie stellte eine Sammlung von Farbsprays auf den Frisiertisch. Lila, Grün, Blau, Schwarz und Dunkelbraun.

»Es kommt nicht darauf an, dass wir uns kostümieren wie zum Fasching«, unterbrach sie unseren Disput. »Viel wichtiger ist es, dass wir alt genug aussehen, um reingelassen zu werden.«

»Mit meinem pausbackigen Milchgesicht bleibe ich doch schon am Eingang in der Gesichtskontrolle hängen«, sagte Kati von plötzlichem Pessimismus angekränkelt. Auch ich war keineswegs so überzeugt, dass wir locker reinkommen würden.

»Ach, das bisschen Babyspeck schminken wir einfach weg. So ein paar Gruftischatten auf die Wangen und du siehst aus wie deine eigene Großmutter«, meinte Mila.

»Danke«, sagte Kati und in ihren veilchenblauen Augen lagen erhebliche Zweifel und die unausgesprochene Frage, ob es nicht besser sein würde, das Unternehmen Harlekin abzublasen. Offenbar rechnete sie sich im Look ihrer Großmutter nicht die besten Chancen bei den Jungen aus.

»Okay«, sagte Mila und schüttelte die Spraydosen. »Ich schlage vor, wir schneiden Kati etwa fünfzehn Zentimeter von ihren Haaren ab und tönen sie dann schlicht schwarz. Schwarz macht älter und …« – Kunstpause – »… schlank.«

Kati schoss wie von der Tarantel gestochen aus dem Frisierstuhl hoch. »Untersteh dich!«

Mila lachte leicht fies. »Nun reg dich ab, war doch nur ein kleiner Scherz. Aber im Ernst, ich würde unbedingt eine schwarze Tönung empfehlen.«

»Und geht die auch schnell wieder raus?«, fragte Kati skeptisch. »Schließlich haben wir morgen Schule.«

»Ich hab hier so ein Zeug, das soll nach einer Wäsche wieder draußen sein.«

»Aber ausprobiert hast du es noch nicht, oder?«

»Wenn es draufsteht, wird es wohl auch stimmen. Wenn wir nicht bald mal zu Potte kommen, können wir gleich hier bleiben.«

Mila hatte ja Recht. Es war schon halb neun. Höchste Zeit, das Styling anzugehen und sich dann schleunigst in Richtung Harlekin in Bewegung zu setzen.

»Na gut«, sagte ich, »meine Haare gehen ja schnell. Mach sie mir meinetwegen schwarz, aber auf keinen Fall lila.«

»Schade, nicht wenigstens eine kleine Ponysträhne?«

Ich schüttelte den Kopf. Aber bei Milas Überredungskünsten war mir schon klar, dass sie sich am Ende durchsetzen würde. So hatte ich schließlich einen schwarzen, mit Haarlack aufgepeppten Schopf mit einer fetten lila Stirnsträhne.

»Hast du schon mal überlegt, dass Mark uns so überhaupt nicht wieder erkennen könnte?«, fragte ich konsterniert bei meinem Anblick.

»Umso besser, dann hast du doch alle Freiheiten und kannst selbst entscheiden, ob und wann du dich ihm zu erkennen geben willst.«

Ich schaute in den Spiegel und begann mir einen weißlichen Puder ins Gesicht zu tupfen. Bald sah ich aus wie Draculas Schwester persönlich. Jetzt noch lila Lippenstift und Kajalstift um die Augen, anthrazitfarbenen Lidschatten und pechschwarzen Mascara.

»Schmeichelt deinem Typ«, kicherte Mila.

»Ähäm«, sagte ich zu meinem Spiegelbild, »kennen wir uns irgendwoher?«

Plötzlich dudelte mein Handy los. Meine Freundinnen unterbrachen abrupt ihr Gespräch. Klar, sie dachten das Gleiche wie ich: Ob ER es ist?

»Soll ich rangehen?«, fragte ich unentschlossen, denn wir wollten jetzt eigentlich machen, dass wir fertig wurden.

»Klar«, sagten Kati und Mila gleichzeitig und die Neugier blitzte in ihren Augen.

Ich drückte die Annahmetaste. »Ja?«

»Sprich zu mir, Angebetete. Lass mich deine Stimme hören. Zaubere ein Lächeln für mich auf dein süßes Gesicht.«

Süßes Gesicht? Ich starrte in den Spiegel. Wenn der mich sehen könnte!

»Mein Gesicht ist so bleich wie der silberne Mond«, sülzte ich zurück.

»Oh.« Es hatte IHM offenbar die Sprache verschlagen. Dann fing ER sich. »Warum ist es so bleich? Welcher Schmerz lässt dich erblassen?«

Holzkopf, dachte ich. »Kein Schmerz«, sagte ich roh. »Es ist bleich, weil ich gleich zu einer Gruftifete gehe. Ins Harlekin! Wenn du mich sehen willst, kannst du ja auch kommen. Ciao.«

Ich drehte IHM herzlos den Saft ab. Es gab Wichtigeres zu tun, als zu sülzen.

Mila hatte Kati inzwischen doch die Haare schwarz getönt. Sie sah dadurch viel älter aus und ziemlich scharf. Als sie sich noch fettes Lippenrot auflegte, wirkte sie fast ein bisschen frivol.

Meine Skrupel wuchsen wieder. So konnten wir doch nicht wirklich unter Menschen gehen. Wenn uns einer erkannte!

Mila sprayte gerade ihre schwarzen Haare mit Unmengen von Haarlack ein und toupierte sie kräftig durch. Sie zupfte sie mit den Fingern zurecht, bis sie ihr bauschig um den Kopf standen. Dann gab es eine Portion Haarspray zum »Fixieren«. Auch sie puderte sich das Gesicht weißlich ein, umrandete die Augen dunkel und packte sich einen fast schwarzen Lippenstift auf ihre vollen Lippen.

Und dann ging's ab zur Disko.

Das Harlekin war *die* Disko überhaupt. Sie war die größte und schönste am Ort, hatte das beste Programm und das angesagteste Publikum. Neben verschiedenen Events wie Freibierparty und *Bizarre Monday* gab es mehrere unterschiedliche Diskoräume, in denen DJs heiße Scheiben aller gängigen Musikrichtungen auflegten. Hip-Hop und Rap, Latino-Pop oder die Charts. Manchmal gab es auch eine Schlagerparty oder Disko-Dance der achtziger Jahre. Auf jeden Fall fand jeder, was er suchte.

Natürlich hatte Martin davon erzählt, denn er hing hier fast jedes Wochenende ab, seit er sechzehn war. Hier hatte er auch seine Carmen gefunden. Natürlich war ich ziemlich neidisch auf ihn und hätte gerne schon längst mal selbst einen Blick in diesen Schuppen getan. Aber er behauptete, die Kontrollen seien rasiermesserscharf, sodass er mich auf keinen Fall mitnehmen könnte. Ich glaube aber, er wollte nur nicht, damit er weiter mit seinem Geheimwissen protzen konnte. Bildete sich ja auch mächtig was auf die zwei Jährchen ein, die er älter war als ich. Na, egal! Jetzt würde ich ja den geheiligten Hain auch betreten.

Irgendwie fand ich es gar nicht so schlecht, dass Mila mich bis zur Unkenntlichkeit gestylt hatte. Es war so, als wandelte ich unter einer Tarnkappe, die mir Schutz und Sicherheit gab. Vermutlich hatten meine Freundinnen das gleiche Gefühl. Ziemlich selbstbewusst steuerten wir also das Harlekin an.

Als ich dann den hell beleuchteten Eingang sah, wurde mir allerdings etwas mulmig im Magen. Was, wenn nun doch kontrolliert wurde? Sollte ich sagen, ich hätte meinen Ausweis vergessen? Ehe ich den Gedanken weiterspinnen konnte, standen wir schon vor dem Tor zur Seeligkeit. Nur noch zwei Schritte trennten mich von der ultimativen Diskoszene. Kleine Schritte für Sechzehnjährige, aber ein riesiger Schritt für mich! Vor mir ging Mila, hinter mir Kati.

Plötzlich gab es einen Stau. Vor Mila standen zwei Mädchen, die selbst mit Diskobemalung höchstens wie zwölf aussahen.

Das war der Kassiererin natürlich auch aufgefallen. »Kann ich mal eure Ausweise sehen?«, fragte sie sachlich.

»Wieso das denn? Ich bin jeden Abend hier!«, erregte sich die eine Kleine, die wie eine Barbiepuppe aussah.

»Na, dann bist du ja sicher auch sechzehn und es macht dir nichts aus, mir den Ausweis zu zeigen.«

Das Püppchen wurde etwas kleinlauter. »Blöd, grade heute habe ich 'ne andere Jacke angezogen. Da hab ich wohl vergessen, den Ausweis umzupacken.«

»Das ist schade«, sagte die Kassiererin. »Aber es ist ja noch früh, da kannst du noch schnell nach Hause fahren und ihn holen.«

Nun wurde die Kleine aber richtig zickig. »Was soll denn der Schrott? Willst du mich schikanieren? Ich komm sonst immer rein. Du musst mich doch kennen! Mach keinen Stress, Alte!«

Wenn sie geglaubt hatte, mit dieser Tour durchzukommen, hatte sie sich gewaltig getäuscht.

Jetzt mischte sich nämlich ein Türsteher ein, und der klang gar nicht mehr freundlich. »Hau ab«, sagte er. »Wenn du aus den Windeln raus bist, kannst du wiederkommen! Los verschwinde, du hältst hier den Betrieb auf!« Und mit einem leichten Bodycheck drückte er sie zur Seite, sodass wir vorbeikonnten. Wir waren drin!

»Na, so ein Dusel!«, flüsterte Mila. »Der Ärger mit der Kleinen hat sie ganz von uns abgelenkt.«

Jetzt musste erst mal alles genau angeguckt werden. Mal sehen, ob das stimmte, was Martin so erzählt hatte. Wir holten uns eine Coke und schoben uns dann kichernd durch die Disko.

Im Zentrum gab es eine große Tanzfläche, die zurzeit nur höchstens zur Hälfte gefüllt war. Ein DJ legte Hits aus den Charts und Techno auf. Wir hörten eine Weile zu und beobachteten die Typen, die da herumhopsten. Dazwischen tanzten versunken Möchtegern-Blumenkinder und Peace-Schwestern. Nach einer Weile zogen wir weiter ins Rolling Stone. Dort gab es Drum'n'Bass.

Nicht, dass ich das gemerkt hätte. Kati, die sich besser auskannte, erklärte es mir. »Da stehen die Krassen drauf«, sagte sie, und das konnte man sehen. Gegen die Typen hier waren die oben ja voll die Normalos.

Ich hatte bisher noch kein bekanntes Gesicht gesehen, jetzt entdeckte ich Martin und Carmen. Ach du gepunkteter Salamander! Wenn der mich hier in diesem Aufzug sah, würde morgen zu Hause die Hölle los sein. Und Mama würde Papa dazu bewegen, sich eine drakonische Strafe für mich auszudenken. Das wollte ich nicht riskieren.

»Lasst uns mal woanders hingehen«, flüsterte ich Mila und Kati zu. »Da ist mein Bruder, der darf mich auf keinen Fall sehen.«

Aber meine Sorge schien unbegründet. Denn obwohl er nun genau zu uns hersah, blitzte kein Erkennen bei ihm auf. Ich rieb mir innerlich die Hände. Die Tarnung war offenbar perfekt.

Es war inzwischen nach zehn und das Harlekin füllte sich allmählich. Hier schienen ja voll die Nachtschwärmer abzuhängen. Wir steuerten den legendären Wintergarten an.

Er war kalt und zugenebelt. Im Dunst hockte qualmend die versammelte Gruftiszene unserer Stadt. Aus den Lautsprechern kam voll die dumpfe Grufti-Mucke. Ein paar Leute tanzten.

»Mann«, hauchte ich, »die sehen ja wohl abgefahren aus!«

Tatsächlich hatte ich so was Edles noch nicht gesehen. Alle waren in Schwarz gekleidet. Die Mädchen trugen Kleider aus Samt oder Spitze. Einige hatten tiefe Dekolletés und mehrlagige Röcke wie Zigeunerinnen oder Flamencotänzerinnen. Andere waren wie die weiblichen Mitglieder der Addams-Family gekleidet. Um ihre eiskalten Händchen trugen sie dicke Metallarmreifen und um den bleichen Hals hatten nicht wenige ein Stachelhalsband geschlungen oder ein fettes Metallkreuz oder ein Pentakel gehängt. Geschminkt waren die meisten Mädchen ungefähr wie wir. Na fein, dachte ich, hier fallen wir ja überhaupt nicht auf.

Aber ich merkte schnell, dass dies ein verhängnisvoller Irrtum war. Ich hatte zwar vollkommen Recht, was das Styling anbetraf, aber ich hatte genau wie Mila und Kati völlig außer Acht gelassen, dass es sich gerade bei den Gruftis um eine kleine eingeschworene Szene handelte, in der jeder jeden kannte. Gleich drei neue Gesichter mussten natürlich auffallen.

»Neu hier?«, quatschte uns denn auch sofort am Eingang zum Wintergarten ein bleiches Mädchen an. Wir nickten stumm.

»Dann kommt mal mit«, sagte sie, griff nach meiner Hand und zog mich hinter sich her in den kalten Dunst. Ich schickte einen Hilfe suchenden Blick zu Mila und Kati. Bleibt bloß bei mir, signalisierte ich ihnen.

Ich kriegte beim Anblick dieser finsteren Gestalten plötzlich voll die Panik. Was, zum Teufel, hatte uns bloß geritten, uns auf diese Geschichte einzulassen? Nur weil Mark mir mal bei einem Mathe-Test geholfen hatte? Wo steckte der Typ überhaupt? Ich hatte ihn noch nirgends entdeckt. Wäre mir direkt angenehm, wenn er jetzt auftauchen würde, dachte ich. Er war mir doch hundertmal lieber als diese sinistren Gestalten. Ehrlich gesagt gruselte es mich richtig und die heftige Musik trug noch ihren Teil dazu bei, meine Eingeweide zum Zittern zu bringen.

Und dann stand ich vor ihm. Dem Oberguru der Gruftiszene. Sozusagen dem Grufti-Mufti. Ich hatte schon von ihm gehört. Das war ja voll der Methusalem. Und wie verlebt der aussah, mit den schwarzen Ringen unter den Augen und den Falten um den Mund. Die kamen garantiert nicht aus dem Schminktopf. Die hatte das Leben gezeichnet.

Seine Stimme war merkwürdig dünn und passte zu seinem schütteren Haar. Er zog an einem Joint und nuschelte: »Habt ihr euch verlaufen?«

»Äh, nein, wieso?«, fragte ich zurück.

»Hier ist kein Kindergarten«, sagte er leise, aber seine Stimme hatte einen scharfen Unterton.

Mir war sofort klar, dass er unsere Maskerade durchschaut und darunter drei kleine, grüne Achtklässlerinnen entdeckt hatte. Der Mann kannte sich zu gut aus, um sich von ein bisschen Schminke und Farbe täuschen zu lassen.

Es war, als hätte er meine Gedanken gelesen.

»Die Türsteher könnt ihr täuschen, aber nicht die Krähe.«

Jetzt fiel mir sein Spitzname wieder ein: The Crow, die Krähe. Einige nannten ihn auch den Totengräber. Meine Hände begannen kalt und schweißig zu werden.

»Was wollt ihr hier?«

»Äh, äh, nichts ... nur mal gucken, äh ... wir wollten auch grade wieder gehen ...«, stotterte ich.

»Das ist wohl das Beste«, sagte er und hüstelte. »Stört nicht den inneren Zirkel!«

Ach du Schreck, dachte ich, die haben hier wohl grade eine geheime Zusammenkunft. Deswegen waren auch alle so herausgeputzt. Wie blöde, dass wir da reinplatzen mussten.

»Wir ... wir wollten wirklich nicht stören«, druckste nun auch Mila herum. Man sah ihr an, dass ihr das Ganze ebenfalls nicht geheuer war.

»Hier stört ihr in der Tat«, sagte die Krähe. »Ich kann mich nicht mit Kindern in der Öffentlichkeit zeigen. Aber wenn ihr Kontakt zu uns wollt, dann kann euch Alraune eine Adresse geben.« Und mit einer Handbewegung scheuchte er uns fort. »Geht jetzt.«

Aber nichts lieber als das, dachte ich erleichtert, und eine Adresse brauchen wir auch nicht. Vielen Dank, nein, wirklich nicht nötig! Rückwärts machte ich, dass ich aus dieser Gruselbude rauskam. Am Ausgang vom Wintergarten steckte mir eine total dürre Schattengestalt ein Kärtchen zu. Ich packte es in meine Hosentasche, ohne es anzusehen. War ich froh, dieser Ansammlung von lebenden Leichen entronnen zu sein!

»Mila«, schimpfte ich auf dem Weg in die obere Etage, »wie konntest du uns das antun! Hätten wir nicht als Hippies oder Peace-Schwestern gehen können?«

»Wenn der uns jetzt verpfiffen hätte!« Auch Kati war sichtlich gestresst.

»So was macht der nicht«, winkte Mila ab, »der rekrutiert auf die Weise allenfalls ein paar neue Jünger für seinen Totenkult.«

»Meinst du, der zelebriert schwarze Messen und so?«, fragte ich und der Grusel schlich sich mein Rückgrat hinauf und ließ mich frösteln.

»Meine Mutter meint, dass er und seine Leute nachts auf Friedhöfen Gräber aufbuddeln«, flüsterte Kati.

»Nein!«

»Doch! Hast du es nicht in der Zeitung gelesen? Sie haben ihn auch verhört. Aber sie konnten es ihm noch nicht beweisen.«

»Das ist ja eklig«, sagte Mila.

Ich hatte plötzlich überhaupt keine Lust mehr, wie ein Grufti herumzulaufen.

»Wo ist denn hier das Klo?«, wollte ich wissen. Die anderen waren auch ratlos, aber irgendwie fragten wir uns durch.

Ein Blick in den Toilettenspiegel sagte mir, dass ich wirklich wie eine Anhängerin der Krähe aussah. Das musste ich schleunigst ändern. Ich nahm ein Papierhandtuch, machte es nass und wischte mir die weiße Puderschicht aus dem Gesicht. Ah, nun sah ich doch schon viel lebendiger aus. Trotz des heftigen schwarzen Augen-Make-ups. Und ich fühlte mich auch gleich viel wohler.

»Na, was machen wir jetzt?«, fragte ich mit neu erwachtem Tatendurst.

»Wollen wir ins Kino gehen?«

»Au ja, das finde ich gut. Martin erzählt immer,

dass das Kino hier so toll ist. Da laufen voll die alten Streifen und alle knutschen da rum«, sagte ich.

»Ach«, kicherte Mila, »ich wusste gar nicht, dass du auf so was stehst?«

Aber bis zum Kino kamen wir nicht mehr. Denn auf dem Weg dorthin lief ich glatt Mark in die Arme. Das heißt, wir stießen an der Treppe zum oberen Stockwerk zusammen.

»Hatten wir nicht eine Verabredung?«, fragte er geistesgegenwärtig, während ich noch nach einer unverbindlichen Floskel in meinem Wortschatz herumbuddelte.

»Komm«, sagte er, »ich geb dir einen aus.«

Und ohne meine Freundinnen weiter zu beachten, schnappte er mich am Arm und zerrte mich nach oben an die Cocktailbar.

»Was willst du denn?«, fragte er.

Doch bevor ich antworten konnte, ertönte neben mir ein schriller Schrei und ein Mädchen zerschlug einem anderen Mädchen, das direkt neben uns auf einem Barhocker saß, unter lauten Beschimpfungen ein Bierglas auf dem Kopf. Es zersplitterte in tausend Teile, die uns um die Ohren flogen. Blut spritzte mir auf die Hose und Mark auf die Hand.

Er reagierte sofort und stellte sich schützend vor mich. Der Barkeeper war ebenfalls gleich aktiv geworden und wie aus dem Nichts tauchten zwei Ordner auf. Sie griffen sich die wild um sich schlagende Attentäterin und schleppten sie weg.

Eine junge Frau kümmerte sich um das blutende Opfer und ging schließlich mit ihr und ihrem Typen nach unten. Ich registrierte das alles völlig erstarrt und eher unbewusst.

Mark bugsierte mich auf einen der Barhocker

und fragte noch mal, was ich für einen Cocktail wollte. Ich kannte nur zwei Cocktails. Einer davon war Cuba Libre, der andere Bloody Mary, und der rutschte mir nach dem blutigen Zwischenfall nun automatisch heraus.

Mark blickte von seiner blutverschmierten Flosse auf und sagte anerkennend: »Cool, Baby!«

Irgendwie war auf einmal das Eis gebrochen und wir kamen richtig ins Gespräch. Weil ich aus den Augenwinkeln Mila und Kati an einem der Nachbartische entdeckt hatte, fühlte ich mich auch relativ sicher. Die würden mich im Auge behalten und sofort eingreifen, wenn es dem Typen einfallen sollte sich danebenzubenehmen. Schon gut, seine eigene schnelle Eingreiftruppe dabeizuhaben. Kann ich nur jedem Mädchen in ähnlicher Situation empfehlen.

Ich fragte, ob solche Eifersuchtsdramen häufiger passierten, aber er meinte, eigentlich nicht. Hin und wieder würde mal jemand ausrasten, aber die Ordner würden immer so schnell einschreiten, dass niemand wirklich zu Schaden käme. Das eben sei schon ziemlich überraschend gewesen.

»So eine blitzschnelle Aktion kriegen nur Mädchen hin«, sagt er lachend und spielte offenbar auf die Ohrfeige an, die ich ihm verpasst hatte.

»Und Jungen?«, fragte ich. »Die kloppen sich doch sonst bei jeder Gelegenheit. Warum sind die hier friedlich?«

»Weil sie sonst Hausverbot kriegen.«

»Echt?«

»Echt. Das will keiner riskieren. Dafür gibt es hier zu viele gute Bräute. Wenn man sich unbedingt kloppen muss, geht man mal kurz vor die Tür.«

»Gut zu wissen.« Ich schlürfte an meiner Bloody

Mary, die grauenvoll schmeckte und für meinen Geschmack viel zu viel Alkohol enthielt.

Mark putzte sich mit einem Tempotuch und Spucke die Blutreste von der Hand. Er warf das schmutzige Tuch in den Ascher und stand auf. »Wollen wir tanzen?«, fragte er.

»Kann ich doch gar nicht«, sagte ich. »Wir fangen erst nach den Herbstferien mit dem Tanzkurs an.«

»Um in einer Disko zu tanzen, brauchst du doch keinen Tanzkurs.« Mark lachte. »Los, komm, wir gucken mal runter.«

Wir standen auf und gingen zum Geländer, um auf die große Tanzfläche im unteren Bereich zu schauen. Der DJ spielte grade Hits aus den Charts. *Born to make you happy,* klang es herauf.

Ich schielte Mark von der Seite an. War er vielleicht doch der anonyme Anrufer? Aber selbst wenn er hier weniger machomäßig war als in seiner Clique, fehlte allem, was er sagte und tat, jeglicher Hauch von Romantik. Er war einfach gnadenlos nüchtern. Ich seufzte grottentief bei dieser Erkenntnis.

Er sah mich fragend an. »Ist was?«

Ich schüttelte den Kopf.

»Mit roten Haaren hast du mir besser gefallen«, meinte er.

»Ach, das ist nach einer Wäsche wieder raus«, sagte ich. »Es war nur eine Art Verkleidung, damit wir leichter reinkommen.«

»Hat ja gewirkt«, erwiderte er. »In diesem Falle heiligt der Zweck die Mittel.«

Das erinnerte mich nun an den eigentlichen Anlass meines Hierseins. »Vielen Dank übrigens noch mal für deine Hilfe beim Mathe-Test. Hat meiner Note wirklich gut getan. Aber noch mal werden wir das nicht machen können. Rumpelstilzchen war ja auf hundertachtzig!«

»Der hat geahnt, dass da was faul war, aber er konnte uns nichts beweisen. Sein Gesicht war zum Bellen!«, freute sich Mark immer noch über unseren gelungenen Coup.

Bei der Erinnerung an Rumpelstilzchens Reaktion brachen wir beide in heftiges Kichern aus.

Diesen gelösten Augenblick nutzte Mark geschickt aus, um mich am Arm zu nehmen und nach unten auf die Tanzfläche zu bugsieren. Wer als Mädchen in seinem Griff steckte, brauchte wirklich nicht tanzen zu können. Er warf sich genauso an mich ran wie auf der Sek-I-Fete.

»Du bist wirklich 'ne scharfe Braut«, schrie er mir ins Gehör.

Und ehe ich irgendwie reagieren konnte, presste er mir seine heißen Lippen mitten auf den Mund. Ich war so perplex, dass ich es widerstandslos geschehen ließ. Erst als sich seine Zunge zwischen meine Lippen schob und schon unter den Zähnen durchschlängelte, erwachte ich aus meiner Erstarrung und … biss zu!

Sein halb erstickter, tierischer Schrei ließ mir den Schreck in die Glieder fahren.

Natürlich riss ich die Zähne sofort auseinander und stotterte eine Entschuldigung. Himmel, was war bloß in mich gefahren!

»Habe ich dir wehgetan?«, fragte ich mit ehrlicher Anteilnahme.

Er war nicht amüsiert. »Bist du bescheuert?«, stieß er hervor. »Küsst du immer so kriminell?«

»Äh, nein«, stotterte ich, »äh … das heißt … also, wenn ich so überrumpelt werde …«

»Ich brauche jetzt erst mal ein Bier, um meine

Zunge zu kühlen«, sagte er, drehte sich um und ließ mich mitten auf der Tanzfläche stehen. Nein, war das peinlich. Schnellstens entfloh ich den auf mich gerichteten Augenpaaren ins Gewühl am Rande der Tanzfläche.

Dort nahmen mich Mila und Kati in Empfang. Sie hatten nicht ganz mitgekriegt, was gelaufen war, und ich musste es ihnen ausführlich erzählen.

»Und?«, fragte Mila sensationslüstern nach weiteren Einzelheiten. »Hast du ihm nun die Zungenspitze abgebissen? Wie schmeckt er?«

»Du bist eklig!«, sagte ich angewidert. »Es hat nicht mal geblutet. Nur eine leichte Quetschung allenfalls oder einfach der Schock, dass er plötzlich festsaß!«

Kati prustete laut los. »Eigentlich müssten wir mit einem Glas Champagner anstoßen«, sagte sie.

»Warum?«, wollte ich wissen.

»Na, schließlich war es dein erster Zungenkuss!«

Wir fuhren dann bald nach Hause, denn in die Mitternachtskontrollen wollten wir nicht unbedingt kommen.

Mama lauerte natürlich im Wohnzimmer auf mich. Sie war ziemlich sauer. Einmal, weil es unüblich spät war, und zum anderen, weil sie über meine Aufmachung schockiert war.

»Wo kommst du denn jetzt her?«, schimpfte sie. »Weißt du eigentlich, wie spät es ist?«

Wusste ich natürlich, aber ich sagte lieber nicht Ja, damit sie nicht völlig ausrastete. Ich zog es vor, zu schweigen und schuldbewusst mein Haupt zu senken. Aber das war auch nicht recht.

»Krieg ich vielleicht mal eine Antwort?«

»Ähm, ja, was möchtest du denn hören?«

»Werde nicht unverschämt«, erboste sie sich. »Wo warst du in diesem Aufzug?«

Ich trat die Flucht nach vorne an.

»Bei Martin.«

Der Überraschungsangriff war geglückt. Sie starrte mich einigermaßen perplex an. »Wie, bei Martin?«

»Ja, weißt du denn nicht, wo er ist?«, tat ich erstaunt. »Mir spionierst du hinterher, wenn ich mal länger wegbleibe, aber dass dein lieber Sohn bis in die Nacht im Harlekin bei den Gruftis rumhängt, ist dir offenbar egal!«

Mama blieb die Spucke weg, aber sie fing sich gleich wieder. »Das ist ganz etwas anderes. Martin ist sechzehn! Du hast in einer Disko noch nichts verloren! Und wenn er dich reingeschmuggelt hat, muss ich mit ihm auch noch ein Wörtchen reden!«

Ach du geleimtes Fliegenbein! Jetzt hatte ich, statt mich zu entlasten, Martin auch noch mit reingezogen. Da blieb mir wohl nichts anderes übrig, als Mama die ganze Aktion zu beichten. Zwar entlockte ihr das eine oder andere Detail ein unterschwelliges Schmunzeln und sie sah für diesmal noch von einer Bestrafung ab, aber generell war ihr Urteil vernichtend.

»Ich möchte nicht, dass du dich noch einmal in einem solchen Lokal und unter solchen Leuten herumtreibst. Und schon gar nicht, wenn du am nächsten Tag Schule hast!«

Das fand ich nun wieder ungerecht. »Ach, bei Martin spielt die Schule wohl keine Rolle!«, rief ich sauer und stürzte wutschnaubend unter die Dusche.

Da wusch ich mir nicht nur einmal die Haare, sondern mindestens zehnmal. Jedenfalls verbrauchte ich sämtliche Haarwaschmittel, die da waren. Mit dem Ergebnis, dass meine Haare immer noch schwarz waren.

Merde, dachte ich! So kann ich doch nicht zur Schule gehen!

Aus übermüdeten Augen, unter denen das wasserfeste Mascara aparte Ringe gemalt hatte, starrte ich in den Spiegel. Der Alkohol aus der blutigen Maria pochte in meinem Kopf. Ich war fix und fertig.

»Ich gebe auf«, flüsterte ich mit tonloser Stimme, »egal, was die morgen in der Schule sagen, ich geh jetzt schlafen!«

Aber bevor ich einschlief, griff ich noch einmal zum Handy und rief Mila an.

»Schmier du mir noch mal eine Farbe in die Haare«, schnauzte ich sie an und machte sie für meine Misere voll verantwortlich.

Sie entschuldigte sich verschlafen und meinte, sie könne sich das wirklich nicht erklären. »Ich kann dir ja morgen eine rote Tönung machen ...«, bot sie an.

»Bloß nicht«, schrie ich, »dich lass ich nicht mehr an meine Haare!«

Kaum hatte ich zornig das Gespräch beendet, zeigte das Handy eine eingehende Message an. Und was für eine! Entgeistert starrte ich auf das Display.

HANNA, MEIN HENKERSMÄDEL,
KOMM, KÜSSE MIR DEN SCHÄDEL!
ZWAR IST MEIN MUND
EIN SCHWARZER SCHLUND –
DOCH DU BIST GUT UND EDEL!
BIST DU IMMER SO BISSIG, KLEINE GRUFTIMAUS?

Ich schluckte heftig. Drehte ER jetzt ab? Und vor allem, woher wusste ER das alles? Niemand außer meinen Freundinnen, Mark und mir konnte wissen, was da auf der Tanzfläche vorgefallen war.

Als ich mich übermüdet und verwirrt in mein Bett kuschelte, fand ich, dass es dafür nur eine Erklärung gab, auch wenn es mir gar nicht passte: Mein anonymer Anrufer musste Mark sein!

Nachtlauf

Als ich am nächsten Morgen in den Badezimmerspiegel schaute, erschrak ich erst mal. Obwohl ich noch keine Brille aufhatte und deswegen mein Gesicht nur leicht verschwommen sah, war der Anblick alles andere als aufbauend. Ob ich einfach blaumachen sollte?

Kein Mensch konnte von mir verlangen, dass ich so in die Schule ging und mich zum Gespött der Klassenbratzen machte. Und dann auch noch Mark. Ich beschloss, wieder in mein warmes Bett zu krabbeln.

Aber wie so oft hatte ich die Rechnung mal wieder ohne meine Mutter gemacht. Kaum hatte ich das weiche Federbett bis zur Nasenspitze hochgezogen, rauschte sie in mein Zimmer.

»Was ist denn mit dir los? Ich denke, du bist längst aufgestanden. Habe ich dich nicht eben im Badezimmer gehört?«

»Mm, ja … aber … ich fühle mich nicht gut.«

»Das kann ich mir vorstellen«, sagte sie herzlos. »Aber das gibt es nicht, sich abends herumtreiben und dann morgens nicht in die Schule gehen. Damit fangen wir gar nicht erst an!«

Ich schoss mit dem Oberkörper kerzengerade im Bett hoch. »Was heißt hier herumtreiben? Ich treibe mich nicht herum. Außerdem war ich viel eher zu Hause als Martin!«

»Martin ist schon sechzehn und außerdem sitzt

er längst am Frühstückstisch. Da erwarte ich dich auch in fünf Minuten!« Mit diesen Worten rauschte sie wieder hinaus. Was nun?

Im Grunde war meine Mutter ja leicht zu handhaben, hatte auch meist ein offenes Ohr für meine Probleme. Andererseits aber hatte sie diese lästigen, nicht immer zeitgemäßen Prinzipien: Vergnügen ja, aber die Pflicht durfte nicht darunter leiden. Freiheit ja, aber nur, wenn man sich nicht zu viel davon herausnahm. Trost und Zuspruch immer, wenn er ernsthaft nötig war. Versaute Haare, erster Zungenkuss und vermatschtes Aussehen fielen für sie nicht in die Kategorie ernster Probleme. Ich konnte also zusehen, wie ich damit alleine fertig wurde. Seufzend griff ich zum Handy.

Komm her, du gutes Stück, dachte ich, mal sehen, wie es Kati so geht.

»Hallo, alte Schnecke«, sagte ich, als ich ihre Stimme hörte.

Aber nein, wie peinlich, sie war es gar nicht, sondern ihre Mutter, die stadtbekannte Hexe.

»Kati ist im Bad. Ist es denn eilig?«, fragte sie. Und ob es eilig war. Aber ich sagte, dass Kati mich ja schnell mal zurückrufen könne, wenn sie aus dem Bad wieder rauskäme.

»Das kann dauern«, sagte ihre Mutter, was mich Schlimmes befürchten ließ.

Als Kati dann später anrief, klang ihre Stimme verheult.

»Was ist denn los?«

»Ich sehe zum Wegwerfen aus«, schluchzte sie. »Diese dämliche Farbe von Mila geht nicht mehr aus den Haaren raus. Von wegen, eine Wäsche! Ich sehe aus wie ein verfärbter Tibetterrier!«

»Und ich wie Hans-Hermann.«

»So kann ich doch nicht in die Schule gehen!«, jaulte sie.

»Der Meinung bin ich auch, aber meine Mutter sieht das leider ganz anders.«

»Meine auch!«

»Wie können die bloß so gemein sein!«

Leider half uns das Klagen nicht weiter und in diesem Falle war geteiltes Leid kein halbes, sondern sogar doppeltes Leid.

»Es hilft wohl nichts«, sagte ich schließlich, weil Mama schon wieder drängelnd an die Tür klopfte. »Da müssen wir durch.«

Und als ich das Gespräch beendete, schwor ich mir, nie wieder irgendwo im Gruftilook hinzugehen. Nicht mal zum Fasching.

Ich warf mich in die Klamotten und ging auf einen Schluck Tee in die Küche. Da hockte meine versammelte Familie über den Frühstückseiern und ließ natürlich sofort ihre Sprüche ab.

»Schräg«, sagte Motte.

»Macht dich aber etwas blass«, meinte Papa.

»Bist du unter die Gruftis gegangen?«, fragte Martin.

Ich stopfte mir eine Scheibe Toast in den Mund und ersparte mir durch das Kauen die Antwort. Schnell kippte ich noch einen Schluck Tee hinterher und entschwand, ehe weitere zynische Bemerkungen meines Bruders mir einen Vorgeschmack davon geben konnten, was mich in der Schule erwartete.

Da war natürlich erst mal Spießruten laufen angesagt. Aber nachdem die ersten dusseligen und hämischen Bemerkungen auf uns niedergeprasselt waren, versuchten wir es locker zu nehmen. Immerhin hatten wir jetzt echte Harlekin-Erfahrung und diesen Trumpf spielten wir hemmungslos aus.

Bald interessierte sich niemand mehr für unser Aussehen, sondern nur noch für unsere Erzählungen vom *Bizarre Monday*. Und fast alle bewunderten die Frechheit, mit der wir uns da reingeschmuggelt hatten.

Als zum Stundenbeginn der Gong ertönte, nahm ich Kati und Mila kurz beiseite.

Kati hatte sich ein indisches Tuch um den Kopf geschlungen, sodass man gar nichts mehr von ihren Haaren sah. Das war ja auch keine ganz ungeschickte Lösung. Aber nicht für mich. Mit Kopftüchern sah ich aus wie die Putze vom Dienst.

»Hört mal«, sagte ich, als wir die Treppe zum Klassenzimmer hochstiegen. »Ich glaube, ich weiß jetzt, wer der Anrufer ist.«

»Jaaa? Wer?«, fragten beide wie aus einem Mund.

»ER hat gestern Abend noch mal angerufen und gefragt, ob ich immer so bissig küssen würde. Und darum hab ich gedacht, dass es eigentlich doch nur Mark sein kann.«

Mila lachte. »Na, hab ich es nicht immer gesagt?«

Aber Kati meinte skeptisch: »Darauf würde ich nichts geben. Du hast auch gesagt, die Haarfarbe geht nach einer Wäsche raus!«

Etwas peinlich waren dann allerdings die Lehrerreaktionen. Besonders Rumpelstilzchen genoss es, uns in die Pfanne zu hauen. Erst machte er Kati wegen dem Kopftuch blöd an.

Sie war immer noch so unter Schock, dass sie gar nicht richtig parieren konnte. »Äh, es ist ... äh ... ich ... ich habe Probleme mit den Ohren!«, rechtfertigte sie stotternd ihren ungewöhnlichen Aufzug.

»Das kenne ich von dir. Die Probleme dürften doch schon chronisch sein«, entgegnete er zynisch.

Mich hatte er seit dem Mathe-Test ohnehin auf dem Kieker und so kriegte ich natürlich auch eine volle Breitseite ab. Erstaunlich, was Lehrer sich so herausnehmen dürfen.

Mark grinste bei allem anzüglich herüber. Er steckte die Zungenspitze zwischen den Lippen heraus. Wie der Kopf einer kleinen, beweglichen Schlange glitt sie hin und her. Na, wenigstens war sie noch dran. Hätte ich mir ja nie verziehen, wenn ich den Typ echt verstümmelt hätte.

Ich kicherte lautlos beim Gedanken an die Szene vom gestrigen Abend.

Mein Handy zeigte eine Message an. Ich rief sie unauffällig ab.

HEUTE MORGEN GUTE LAUNE,

WÜNSCH ICH DIR, MEINE ALRAUNE!

IN DES GRABES TIEFE GRUFT

FAHRE SCHLEUNIGST DIESER SCHUFT,

DEN DU GESTERN HAST GEBISSEN.

ER SOLL DICH NIE WIEDER KÜSSEN!

Ich starrte das Display an und dann Mark. Fassungslos.

Eben noch war ich fest davon überzeugt gewesen, Mark als meinen heimlichen Verehrer entlarvt zu haben, und nun das! Das passte doch irgendwie nicht zusammen!

SMS und Rumpelstilzchen auch nicht.

»Hanna, wenn ich dich noch einmal mit dem Handy im Unterricht erwische, lieferst du es vor jeder Mathematikstunde bei mir ab. Ist das klar?«

Verschreckt steckte ich das Teil mit der süßen

Message in meinen Rucksack. Dich nimmt mir keiner weg, dachte ich dabei. Rumpelstilzchen schon gar nicht!

Als ich mit dem Kopf wieder unter der Bank hervorkam, sah ich Mila direkt in die Augen.

»Was ist denn?«, fragte sie leise.

»Mark ist es doch nicht«, flüsterte ich zurück. Und das war doch sehr erfreulich.

In der Pause zeigte ich meinen Freundinnen die Message und sie gaben mir Recht. Mark schied als anonymer Anrufer endgültig aus.

»Zu dumm«, sagte Mila, »vorhin war ich mir noch ganz sicher.«

»Ich auch«, gab ich zu.

»Das heißt aber, dass der Typ auch im Harlekin war, und zwar immer ganz in unserer Nähe, sonst hätte er das ja nicht alles mitgekriegt«, schloss Kati.

»Ich hab IHM ja selbst am Handy gesagt, dass wir dahin gehen«, gab ich zu bedenken.

»Ich finde es trotzdem unheimlich«, sagte Kati und zupfte an ihrem Kopftuch herum. »Zu wissen, da ist einer, den man nicht kennt, der einen auf Schritt und Tritt verfolgt und überall heimlich beobachtet.« Sie schauderte.

»Nun dramatisier das mal nicht«, sagte ich unwirsch. Aber anheimelnd fand ich den Gedanken auch nicht. Zu denken, dass ER wahrscheinlich irgendwo im vernebelten Wintergarten zwischen den Gruftis gestanden hatte und vielleicht direkt neben mir, als Mark mich küsste. Das war doch mehr als peinlich.

»Irgendwie fies«, sagte Mila, »so hinter dir herzuspionieren und sich nicht zu erkennen zu geben.«

»Könnte es nicht doch Tobias sein?«, nahm Kati ihre alte Leier wieder auf.

»Quatsch«, blockte Mila gleich ab. »Der mit seinem Milchgesicht kommt doch nie ins Harlekin.«

Da mussten wir ihr Recht geben. Also schied auch Tobias endgültig aus und wir mussten unsere Nachforschungen völlig neu beginnen.

»Fällt dir denn sonst niemand ein, der an dir Interesse haben könnte?«, bohrten die beiden unerbittlich.

Ich schüttelte den Kopf.

»Wir könnten ja mal die älteren Jahrgänge ins Auge fassen«, schlug Mila vor. »Immerhin ist dein Handytyp ja offensichtlich problemlos ins Harlekin gekommen. Das heißt, er ist mindestens sechzehn oder sieht wenigstens so aus.«

Das nahm ich auch an, denn Jungen wurden besonders scharf kontrolliert.

»Vielleicht jemand, der dich aus der Sportgruppe oder aus dem Chor kennt.«

Chor fand ich gut, denn sofort erschien vor meinem geistigen Auge der dunkeläugige Cellospieler. Ob ich ihn einfach mal ansprechen sollte?

Weil der Unterricht wieder anfing, mussten wir unser Gespräch abbrechen. Aber wir verabredeten uns für den Nachmittag bei mir, um das Problem weiter zu erörtern.

Als ich nach Hause fuhr, stand wieder dieser Typ im Bus, der mich nun schon seit Wochen jeden Tag anlächelte. Heute sah sein Lächeln allerdings etwas gequält aus. Klar, auch ihm musste mein neuer Look etwas absonderlich vorkommen. Ich grinste tapfer zurück.

Dann sah ich, wie er ein Handy aus der Tasche zog. Als er zu wählen begann, drehte er mir den Rücken zu. Wenig später klingelte mein Handy.

Die Erkenntnis überkam mich blitzartig und ließ meine Hände zittern: Das musste ER sein. Ich hatte ja schon mal den Verdacht gehabt, wegen der verschwundenen Busfahrkarte und so. Warum war ich nicht längst darauf gekommen? Schließlich sahen wir uns fast jeden Tag, und was lag näher, als dass er sich bei den gemeinsamen Busfahrten unsterblich in mich verliebt hatte? Sollte jetzt der Augenblick der Enthüllung gekommen sein?

Hastig fischte ich mein Handy aus der Jackentasche. »Ja?«, hauchte ich erwartungsvoll hinein.

»Mama sagt, du sollst ein Pfund Gehacktes vom Metzger mitbringen!«

»Waaas?«

»Du sollst Gehacktes mitbringen«, wiederholte meine kleine Schwester. »Mama will Spaghetti kochen.«

Ich starrte entgeistert zu dem Bustypen rüber. Er hatte sich wieder herumgedreht, sein Handy weggesteckt, und lächelte mich an. Mit wem hatte er telefoniert? Mit mir jedenfalls nicht.

Aber das musste ja nichts heißen. Immerhin war er im Besitz eines Handys. Und allein das ließ ihn zum Kreis der Verdächtigen gehören.

»Hanna? Hörst du mich?«, fragte Motte nun ungeduldig.

»Ja, ja, ich bringe es mit«, sagte ich.

Ich steckte das Handy in die Jacke und sah wieder zu dem tollen Typ hin. Nicht übel, dachte ich und fand ihn eigentlich ziemlich cool. Jedenfalls tausendmal besser als die Bratzen aus meiner Klasse. Es musste doch mehr über ihn herauszubekommen sein.

Das fanden meine Freundinnen auch.

»Und dann«, erzählte ich, »flog der halbe Inhalt meiner Schultasche vor seine Füße und die Busfahrkarte vermutlich auch. Jedenfalls hab ich sie seitdem vermisst. Bestimmt hat er sie eingesteckt.«

»Könnte sein«, meinte Mila. »Da hat er ja auf einen Schlag alle Infos über dich gekriegt, die er brauchte!«

So sah ich das auch.

Damit hatte uns das Jagdfieber erneut erfasst. Diesmal allerdings war die Aufgabe viel schwieriger.

Wir saßen in Mamas Buchlädchen, tranken Tee und blätterten während unserer Unterhaltung in Modemagazinen. Um diese Zeit war nicht viel los und die wenigen Kunden, die reingeschneit kamen, vertraute Mama mir gerne ein Weilchen an.

Ich goss Tee nach.

»Wir müssen ihn beschatten«, schlug Mila vor.

»Ja, schon«, sagte ich, »aber mich kennt er. Das fällt sofort auf, wenn ich ihn verfolge.«

»Dann musst du dich eben etwas maskieren.«

»Nein! Nicht schon wieder! An mich kommst du nicht mehr ran!«

»Wie wäre es mit einer blonden Langhaarperücke? Damit erkennt er dich bestimmt nicht«, spann Mila ungerührt weiter an ihrer Idee.

»Wo steigt er denn morgens aus?«, fragte Kati.

Ich zuckte die Schultern. »Keine Ahnung. Ich muss ja immer an der Schule raus und er fährt weiter.«

»Dann musst du einfach mal so lange mitfahren, bis er aussteigt. Und dann verfolgst du ihn und siehst, wo er hingeht.«

An Mila schien eine echte Geheimagentin verloren gegangen zu sein. Irgendwie erschreckte mich das Mädchen mit seinem spontanen Tatendurst. Sie ließ ja wirklich nichts anbrennen.

»Wie alt schätzt du ihn denn?« Kati knabberte Teegebäck und sah mich erwartungsvoll an.

»Etwa so wie mein Bruder Martin. Fünfzehn, sechzehn, siebzehn ... irgendwie so um den Dreh.«

»Bitte, das ist doch schon was. Sicher hat er keine Probleme ins Harlekin zu kommen.«

»Meinst du, er geht noch zur Schule?«

»In dem Alter könnte er natürlich auch eine Lehre machen«, warf Mila ein.

»Ich weiß nicht, er hat immer eine Schultasche dabei und wirkt auch sonst wie ein Schüler.«

»Na ja, diese Schwachsinnslyrik, die er dir immer schickt, spricht natürlich auch eher für einen Gymnasiasten. Mindestens Deutsch-Leistungskurs. Sieht er denn auch so romantisch aus?«

Es passte mir gar nicht, dass Mila seine Gedichte schwachsinnig nannte. Mir gefielen sie, ich fand sie sogar ausgesprochen süß und witzig und manchmal sogar intellektuell!

Ich war mir gar nicht mehr sicher, dass ich ihn beschatten und seine Identität feststellten wollte. Manchmal ist ein Geheimnis viel schöner als seine Aufdeckung. Schließlich wusste ich ja überhaupt nicht, was ich mit dem Unbekannten anfangen sollte, wenn ich wusste, wer er war. Ich stellte mir eine persönliche Begegnung unheimlich peinlich vor. So viel miteinander gequatscht und sich nie gesehen zu haben, so viel voneinander zu kennen und dann eventuell, wenn man sich gegenüberstand, fürchterlich enttäuscht zu sein! Vielleicht sollte ich es wirklich beim gegenwärtigen Zustand belassen. Aus diesen Gedanken heraus hatte ich keine so große Eile, mich auf seine Spur zu begeben.

»Am Samstag ist erst mal der Nachtlauf«, wechselte ich daher das Thema. »Wie wär's, Mila, könntest du danach nicht mit zu mir kommen, Sonntag bleiben und dann Montag mit mir im Bus zur Schule fahren? Du schaust ihn dir erst mal an und vielleicht können wir ihn dann gemeinsam verfolgen. Zwei Mädchen fallen nicht so auf wie eins.«

Auch wenn Mila am liebsten gleich losgelegt hätte, akzeptierte sie diesen Vorschlag. Sie wusste, dass mir viel am Nachtlauf lag und ich mich darum die nächsten Tage noch einmal voll auf das Training konzentrieren wollte.

Sprinter hatte noch immer nicht das endgültige Team bestimmt, und das machte mich ganz nervös. Schließlich hatte ich nicht zwei Monate eisern trainiert, um dann vielleicht gar nicht aufgestellt zu werden.

»Also, wenn er mich nicht ins Schulteam nimmt, dann melde ich mich als Einzelläuferin«, sagte ich.

»Unsinn. Morgen macht er den letzten Test und dann muss er sagen, wen er meldet. Mittwoch ist Meldeschluss«, versuchte Kati mich zu beruhigen. Sie war nicht gerade eine begnadete Läuferin.

»Ich bin zu fett«, stöhnte sie jedes Mal, wenn wir uns in der Sporthalle umzogen. »Mein Busen ist zu schwer. Wenn ich laufe, ist der mir irgendwie im Weg. Darum lauf ich immer hinter allen her.«

»Mach dir nichts draus«, sagte ich tröstend. »Bei dem Busen werden später alle hinter *dir* herlaufen!«

Sprinter hatte Anfang des Monats die Sportgruppe neu zusammengesetzt. Es waren jetzt nur noch die Schüler aus der achten und neunten Klassenstufe

dabei, die auch im Dezember am Skikurs teilneh-
men würden – ich auch, nachdem ich meinen Eltern
die Erlaubnis abgeluchst hatte!

»Zunächst machen wir ein allgemeines Kondi-
tionstraining und bereiten uns in zwei Jahrgangs-
gruppen auf den Nachtlauf vor«, hatte Sprinter
verkündet. »Danach beginnen wir alle gemeinsam
mit der speziellen Skigymnastik.«

Seit Wochen hatte er uns nun schon in jeder
Sportstunde bei Wind und Wetter zum Stadtsee
und zurück getrieben und fast immer waren ein
paar Leute unterwegs auf der Strecke geblieben.
Heute wollte er endgültig das Team für den Nachtlauf zusammenstellen. Darum hatte er die Lauf-AG
der achten und die der neunten Klassenstufe gemeinsam zum Training bestellt.

Ächzend absolvierten wir unser Pensum. Ich
hatte manchmal den Eindruck, dass Sprinter mich
nicht besonders leiden konnte und meine Chancen
darum nicht allzu gut standen.

Mila versuchte meine Zweifel zu zerstreuen.
»Wenn du gut bist«, sagte sie heftig schnaufend,
»muss er dich nehmen. Es geht um die Ehre der
Schule und nicht um persönliche Sympathie oder
Antipathie.«

»Natürlich sind die Leute aus der Neunten viel
besser. Er nimmt bestimmt nur die.«

Gerade spurtete ein Junge an mir vorbei. Holla!
Wenn mich der kurze Blick, den ich auf ihn er-
haschte, nicht trog, war das doch mein dunkeläu-
giger Cellist! Der süße Typ von der Sek-I-Fete!
Das war ja abgefahren, dass der auch in der Lauf-
AG war!

Klar, dass ich sofort das Tempo verschärfte und
versuchte, mich an ihn dranzuhängen.

»He, was ist denn mit dir los?«, keuchte Mila hinter mir her. Ich verlangsamte kurz und deutete verstohlen auf den davonlaufenden Typ.

Sie kapierte sofort. »Häng dich dran!«, schnaufte sie. »Mach schon, brauchst auf mich keine Rücksicht zu nehmen. Ich komme bei dem Tempo eh nicht mit.«

Ich sah Mila noch mal fragend an. Konnte ich sie wirklich so allein weiterlaufen lassen?

»Los, mach dir um mich keine Gedanken. Ich spule gemütlich mein Pensum runter. Und wenn ich schlappmache, gabelt Kati mich mit der Nachhut auf. Zisch ab!«

Sie gab mir einen Klaps und ich sprintete los. Der Typ war schon in der Autobahnunterführung verschwunden. Ich musste unbedingt schneller werden. Der hatte ja einen ganz schönen Zahn drauf. Ich war mir gar nicht sicher, dass ich ihn einholen würde.

Aber dann sah ich ihn am Ende des Tunnels. Zwischen uns lagen vielleicht noch zehn Meter. Ich wollte unbedingt an ihn ran, das verlieh mir Flügelschuhe. Ich spürte kaum noch den Boden unter meinen Füßen. Schließlich holte ich ihn keuchend ein.

Er drehte leicht den Kopf, als ich zu ihm aufschloss, und lächelte mir zu.

»Ich will unbedingt ins Team«, schnaufte ich. »Du auch?«

»Ist mir eigentlich egal«, sagte er und klang dabei längst nicht so angestrengt wie ich.

»Aber du bist schnell«, japste ich und bemühte mich, mit ihm Schritt zu halten.

»Du aber auch«, sagte er. Schweigend liefen wir eine Weile nebeneinander her.

Ab und zu war ich kurz davor, schlappzumachen. Er schien es zu merken und sein Tempo meinem anzupassen. So zog er mich immer weiter mit und als wir auf dem Rückweg durch den Park liefen, hatten wir zur Spitzengruppe aufgeschlossen.

Im Umkleideraum der Turnhalle warf ich mich keuchend auf eine Bank und erwartete einen Kreislaufkollaps. Ich hatte einen hochroten Kopf. So war ich noch nie gerannt und dann noch neben einem so süßen Typen. Da sollte einem wohl das Blut in den Kopf schießen.

Solange das Mittelfeld und die Nachhut noch auf sich warten ließen, ging ich erst mal unter die Dusche.

Außer mir saßen nur noch Mädchen aus der Neunten im Umkleideraum. Sophie und Jenny kannte ich aus dem Chor. Sie sprachen über den Nachtlauf, an dem sie schon im letzten Jahr als Einzelläuferinnen teilgenommen hatten.

»Eine super Stimmung. Solche Events müsste es öfter geben. Hinterher war in der ganzen Innenstadt Party.«

Als ich mir die Haare föhnte, krochen Mila und Kati mit dem schlappen Rest aus unserer AG herein.

»Meine Güte«, stöhnte Kati, »du bist ja abgegangen wie eine Rakete.«

Mila kicherte. »Wusste gar nicht, dass du auf den Typ so scharf bist! Du wirst doch deiner Handyliebe nicht untreu werden?«

Ich kicherte. »Kann ich nicht versprechen. Es gibt mehr nette Typen zwischen Himmel und Erde, als frau es sich manchmal träumen lässt!«

»Wow!«, lästerte Kati. »Hat es unsere Hanna

etwa erwischt? Soll ich für dich ein bisschen mehr über ihn rausfinden?«

»Nein!« Ich musste mich bremsen, um nicht zu schreien. »Lasst um Himmels willen ein Mal die Finger aus meinen Angelegenheiten! Was ich an Infos brauche, besorge ich mir schon selbst!«

Und im Übrigen alles zu seiner Zeit! So süß ich ihn auch fand, jetzt musste erst mal die Sache mit dem Nachtlauf geklärt werden.

Als wir uns dann auf dem Sportplatz sammelten, stand ich – ganz zufällig – neben dem schnellen Cellisten.

»Danke, dass du mir Tempo gemacht hast«, raunte ich ihm zu. »So schnell bin ich noch nie in meinem Leben gelaufen.«

Er antwortete nicht, sondern lächelte mich nur mit seinem leicht melancholischen Ausdruck an.

Dann verlas Sprinter die Namen der Leute, die er für die Schulmannschaften melden wollte. Ich hielt die Spannung kaum aus. Jeweils fünf Leute mussten es sein und zwei Ersatzleute. Vier Namen für die Mädchenmannschaft hatte er schon genannt, alles Neuntklässlerinnen. Sophie war dabei und Jenny auch. Ich brauchte mir wohl keine Hoffnung mehr zu machen. Vielleicht wurde ich ja wenigstens Ersatzläuferin.

Da hörte ich plötzlich neben mir Kati und Mila jubeln. »Super! Du hast es geschafft!«, riefen sie so laut und begeistert, dass ich Sprinter nur noch bruchstückhaft verstand, als er etwas von enormer Leistungssteigerung bei mir sagte.

Ich wollte dem Cellisten einen dankbaren Blick zuwerfen, aber er war verschwunden.

Total happy schlenderte ich mit meinen Freundinnen in die Sporthalle zurück. Als ich meine

Sporttasche einpackte, meldete sich mein Handy.
Eine SMS war angekommen.

GLÜCKWUNSCH, SCHNELLE GAZELLE! WIR SEHEN UNS
BEIM NACHTLAUF! LOVE U!

Langsam wurde ER mir unheimlich.

»Wie kann ER denn das schon wieder wissen?«,
fragte ich Mila.

»Vielleicht ist die Message ja gar nicht von ihm,
sondern von jemand anderem«, spekulierte Kati.

»Aber klar«, sagte ich, »wer soll mir denn wohl
so eine Message schicken? Sprinter vielleicht?«

Mila kicherte. »Wäre ja mal was anderes!«

Am Abend des Nachtlaufs trafen wir uns in der
Stadt. Der Cityring war für den Verkehr gesperrt
worden. Hier sollten die verschiedenen Läufe über
drei, sechs und zwölf Kilometer stattfinden. Ein
Kaufhaus hatte Pokale gestiftet und die Zeitung
versorgte die Läufer kostenlos mit Getränken.
Überall standen Würstchenbuden und auf dem
Marktplatz drehte sich sogar ein Kinderkarussell.
Es herrschte richtige Volksfeststimmung.

Als Einstimmung auf das Ereignis wurde um
acht Uhr ein Jedermann-Lauf durch den Bürger-
meister gestartet. Dann folgten die Läufe über sechs
Kilometer, für die sich viele Schulen der Stadt gemeldet hatten. In der Nacht liefen dann noch die
Profis über die langen Strecken. Es waren sogar bekannte Langstreckenläuferinnen und -läufer am
Start.

Unmengen von Leuten standen am Straßenrand,
sahen zu und klatschten Beifall, wenn die Läufer
vorbeikamen.

Meine Familie hatte sich in ein Straßencafé in der
Fußgängerzone gesetzt, an dem wir vorbeilaufen

würden. Motte war mindestens so aufgeregt wie ich. Nur Martin mimte mal wieder den Coolen. Damit wollte er nur verdecken, dass Laufen sein Ding nicht war. Der wälzte sich lieber vom Fernseh- in den Kinosessel und wieder zurück.

Sprinter war inzwischen voll in Hektik.

»Wo ist denn Branko?«, schrie er ständig beim Aufwärmen. »Hat jemand Branko gesehen?«

Da ich keine Ahnung hatte, wer Branko war, konnte ich ihm leider nicht behilflich sein. Ich vermisste hingegen meinen süßen Cellisten. Ich hatte gar nicht mitgekriegt, ob er überhaupt in die Mannschaft gekommen war.

Gerade richtete ich mich von einem Stretching wieder auf, als ich ihm genau in die Augen blickte.

Er hatte seinen Jogginganzug an und machte ganz den Eindruck, als wolle er mitlaufen.

»Na endlich, Branko!«, sagte Sprinter erleichtert. »Wurde ja auch höchste Zeit.«

Ich starrte den schlanken, dunklen Jungen an. Das also war Branko. Branko. Ich sprach den Namen ganz leise aus. Er klang ungewöhnlich.

»Wie findest du den Namen Branko?«, fragte ich Mila, als wir zum Start rübergingen.

»Hat was. Klingt irgendwie östlich. Ungarn, Rumänien oder so.«

»Na und?«

»Was, na und? Habe ich was dagegen gesagt?«

Wir mussten unser Gespräch abbrechen, denn jetzt erfolgte der Aufruf zum Start. Mila befestigte mir meine Startnummer am Trikot. Unmengen von Schülern und Erwachsenen drängten sich an der Startlinie. Ein Fotograf der Zeitung machte ein Foto und dann ging es los.

Ich legte mich mächtig ins Zeug und hoffte einen guten Platz für unsere Schule zu erlaufen. Sophie, Jenny und die anderen beiden Mädchen aus der Neunten liefen dicht bei mir. Jede Altersklasse wurde für sich gewertet, sodass man in diesem bunt gemischten Feld überhaupt nicht sagen konnte, wo man lag.

Als ich am Tisch meiner Eltern vorbeikam, sprangen sie und Motte auf und klatschten frenetisch Beifall. Das spornte mich so an, dass ich mich in einen richtigen kleinen Spurt steigerte, und am Ende erreichte ich fast gleichzeitig mit Sophie das Ziel. Wir liefen durch eine Lichtschranke, wo wir unsere Kontrollmarke ablesen lassen mussten und wo die genaue Zeit registriert wurde. Später sollten dann am Rathaus Listen ausgehängt werden, aus denen man ersehen konnte, wie schnell und auf welchen Rangplatz man gelaufen war. Ein Siegertreppchen war bereits aufgebaut und Motte posierte stolz fürs Familienfoto auf dem ersten Platz.

»Das ist ja gemogelt«, sagte ich. Die Neigung dazu schien bei unserer Familie wohl eher in den Genen, als in den Sternen zu liegen!

Da die Listen auf sich warten ließen, machten Mila, Kati und ich einen Zug durch die Gemeinde. In einem Zelt auf dem Marktplatz legte ein DJ Hits aus den Charts auf. Es war knallvoll und man konnte kaum von einem Fuß auf den anderen treten. Es roch nach Schweiß und Deos. Wir standen eine Weile dort herum, tranken gesponserte Erfrischungen und hielten nach bekannten Gesichtern Ausschau. Was aber in diesem Gewühl ziemlich hoffnungslos war.

Plötzlich schlug mir jemand von hinten auf die

Schulter. »Fabelhaft, Hanna! Ganz großartig. Hätte ich dir gar nicht zugetraut. Du bist in deiner Altersklasse die drittbeste Zeit gelaufen. Ich wusste gar nicht, dass du gerade erst vierzehn bist!«

Ich starrte Sprinter an. »Wirklich?«, fragte ich ganz verdattert. »Heißt das, dass ich den dritten Platz gemacht habe?«

»Dann kommst du ja sogar aufs Treppchen«, sagte Kati begeistert.

Aber Sprinter war noch nicht zu Ende mit den frohen Botschaften. Das Mädchenteam hatte auch als Mannschaft den dritten Platz belegt und die Jungen sogar den zweiten. Und Branko war in seiner Altersklasse Sieger.

Als ich ihn später auf dem Podest stehen sah, fiel mir plötzlich wieder ein, warum mir der Name so bekannt vorkam. Irgendwann hatte ich mal ein Buch gelesen, das hieß *Die rote Zora*. Und da, so meinte ich mich zu erinnern, kam ein Branko vor. Vielleicht sollte ich es noch einmal lesen.

Es war schon ein tolles Gefühl, gleich zweimal auf dem Treppchen zu stehen und eine Medaille um den Hals gehängt zu bekommen. Sprinter war wirklich völlig aus dem Häuschen und lud uns alle noch zum Italiener ein.

Da zeigte er sich von einer ganz anderen, richtig menschlichen Seite und ich freute mich plötzlich auf den Skikurs mit ihm.

Aber besonders freute ich mich darüber, dass auch Branko dabei sein würde. Der saß ruhig in einer Ecke zwischen mir und Sophie und teilte seine Pizza mit uns. Sophie ein Häppchen, ich ein Häppchen. Was für ein Genuss, aus seinen sensiblen Händen Pizza zu naschen. Vor Glück und Freude hätte ich fast auf der Tischplatte getanzt. Nur diese

Sophie, die hätte nicht unbedingt auch neben ihm sitzen müssen. Und ich hätte auch nichts dagegen gehabt, wenn er sein Lächeln etwas weniger gleichmäßig auf uns verteilt hätte. Meine Versuche, mit ihm ins Gespräch zu kommen, scheiterten am allgemeinen Lärmpegel und Sprinters lautstarken Redebeiträgen. Er erzählte gerade, dass Branko in Rumänien schon Jugendmeister gewesen war. Jetzt war mir klar, dass so ein kleiner Stadtlauf ein Klacks für ihn sein musste.

Als ich dann beim allgemeinen Aufbruch doch noch die Gelegenheit fand, ihm zu sagen, wie toll ich seine Leistung fand, winkte er bescheiden ab. »Laufen macht mir eben Spaß.«

»Mir auch«, sagte ich und in einer Anwandlung von Größenwahn fragte ich: »Wollen wir mal zusammen im Park laufen?«

Kaum hatte ich die Frage ausgesprochen, merkte ich, wie meine Ohren heiß wurden. Ich hatte sie doch wohl nicht mehr alle!

Er lächelte mich aber ganz freundlich an und sagte: »Warum nicht?« Dann verschwand er mit seinen lärmenden Kumpeln aus der Neunten.

Verdattert sah ich ihm hinterher. Hatte er das nun ernst gemeint?

Als ich mein Handy hervorkramte, um Papa zu bitten mich abzuholen, sah ich, dass bereits wieder eine Message da war. Ich verschwand mal schnell aufs Klo. In der Intimität des stillen Örtchens las ich, was ER mir mitzuteilen hatte. Ob ER mich gesehen hatte, wie ich freudestrahlend auf dem Treppchen vorm Rathaus stand? ER hatte.

Als ich vor das Lokal trat, war Papa, der Abholer vom Dienst, schon da. Fand ich total nett, dass er sich, nachdem er die anderen heimgefahren hatte, extra für mich noch mal aufraffte. In der Hinsicht war er ein wirklicher Schatz.

Später schlich ich mich leise in mein Zimmer, in dem Mila schon im Gästebett schlief. Als ich die Nachttischlampe anmachte, wachte sie auf und blinzelte mich verschlafen an.

»Na, Erfolg gehabt bei Branko?«, flüsterte sie.

»Ach, ich weiß nicht«, seufzte ich. »Ich glaube, er ist mit Sophie befreundet.«

Mila wälzte sich auf die andere Seite, murmelte »Schade« und schlief weiter.

Ich krabbelte auch schnell in mein Bett, legte das Handy ans Kopfende, löschte das Licht und schloss die Augen.

Ich sah Branko vor mir, wie er die Pizza für Sophie und mich in mundgerechte Stückchen zerlegte. Dann verschwamm sein Bild und der Typ aus dem Bus lächelte mich an. Er zog sein Handy aus der Tasche, wählte meine Nummer und sagte: »Hey, Schnuppe, hier ist dein Stern!« Dann holte er einen Stern vom Himmel und hängte ihn mir an einem Band wie eine Medaille um den Hals.

Spuren

Es war schon Mittag, als ich am Sonntag aufwachte. Mila brachte mir Frühstück ans Bett und ich hatte das Gefühl, dass dies einer der besten Tage in meinem Leben war. Als das Handy dudelte, nahm ich das Gespräch in freudig erregter Stimmung an.

»Du bist wunderbar«, sagte ER. »Du bist das beste Mädchen, das ich kenne. Könntest du mich lieben?«

Na, das war ja eine Frage.

»Klar«, sagte ich übermütig, »klar, könnte ich dich lieben. Also, rein theoretisch, warum eigentlich nicht. Aber ich müsste dich natürlich erst mal kennen lernen. Denn grau, mein Freund, ist alle Theorie. Ob das immer so klappt zwischen den Menschen, das kann nur die Praxis zeigen!«

ER lachte. Sehr sympathisch. »Und wie sollte sie deiner Meinung nach aussehen, diese Praxis? Küsse im Harlekin?«

Musste ER mich daran erinnern! Das war unfein. Wenn ER so anfing, konnte er mich mal.

»Ja, vielleicht! Besser jedenfalls, als ein ausschließlich virtueller Verehrer. Wer sagt mir eigentlich, dass es dich wirklich gibt?«

ER schwieg einen Moment. Dann sagte ER: »Dein Herz.« Und weg war ER.

»Grrr …«, knurrte ich. »Ich könnte IHM manchmal an die Gurgel gehen! Was meinst du, Mila? Warum will ER sich nicht mit mir treffen?«

»Vielleicht ist ER ein Kontaktkrüppel?«

»Ein waaas?«

»Jemand, der vor echten Kontakten Angst hat. Einer, der Mädchen nur aus der Ferne anschwärmen kann, aber Panik kriegt, wenn sie dann echt vor ihm stehen.«

»So etwas gibt es?«

»Klar, echt krank diese Typen.«

»Du meinst, ER will gar keine echte Beziehung? Das glaube ich nicht. Wenn ich an das Grinsen von diesem Bustypen denke, sieht das nicht grade nach Angst vor Frauen aus. Im Gegenteil. Der hat doch voll das selbstbewusste Anmacherlächeln.«

»Aber ist er auch der Handytyp?«, fragte Mila und wurde gleich wieder unternehmungslustig. »Na, morgen werden wir uns an seine Fersen heften und dann wissen wir garantiert mehr.«

Wir machten uns einen richtig faulen Sonntag. Gingen mit dem Hund spazieren, schmökerten in Mamas Büchern und guckten Fernsehen.

Als ich die Perücke aus dem Salon von Milas Mutter probierte, mit der ich mich verkleiden sollte, befielen mich plötzlich Zweifel an unserem Vorhaben.

»Mila, warum machen wir das eigentlich? Ich bin doch auch so ganz glücklich! Vielleicht ist mehr zu viel verlangt. Wäre es nicht besser, den jetzigen Zustand zu erhalten? Es ist doch eigentlich so ganz amüsant.«

»Quatsch«, fuhr mir Mila über den Mund. »Willst du dich mit halben Sachen begnügen? Du hast, wie jeder andere Mensch auch, einen Anspruch auf das ganze Glück. Sag nicht, du hast auch Angst vor einem richtigen Typen!«

Ich zögerte, dann gestand ich ihr meine Zweifel ein. »Ich kann mir einfach nicht vorstellen, dass ausgerechnet ich so ein Glück haben soll. Warum hat sich in dich kein Traumtyp verguckt? Du siehst doch viel besser aus als ich! Warum passiert es mir, einem mageren, rothaarigen Mädchen mit Brille? Ich verstehe es einfach nicht!«

Am Montagmorgen kriegte ich beim Frühstück vor Aufregung keinen Bissen runter. Ich trank nur etwas Tee. Mila, die Ruhe in Person, futterte einen Toast nach dem anderen.

»Nun mach«, drängte ich, »nicht, dass wir den Bus verpassen.«

Ich hatte mir trotz größter Bedenken die blonde Langhaarperücke aus dem Frisiersalon ihrer Mutter auf den Kopf gestülpt und fühlte mich darunter entsetzlich.

»Du siehst aber cool aus«, sagte Motte beeindruckt. »Wie Dornröschen.«

Ach du blühende Dornenhecke! Konnte ich so unter Menschen gehen? Heutzutage hatte frau mit langen blonden Haaren nicht mehr wie Dornröschen auszusehen, sondern wie Goldie Hawn oder Gwyneth Paltrow.

»Tust du, tust du!«, versicherte mir Mila. »Deiner kleinen Schwester fehlen eben nur die entsprechenden Vergleichsmaßstäbe.«

Na ja, immerhin hatte sie nicht Miss Piggy gesagt.

Meine Nervosität legte sich etwas, als ich den Bustypen an der Haltestelle Lerchenweg stehen sah.

»Das ist er«, flüsterte ich Mila zu. »Der Große mit den kurzen blonden Haaren.«

»Oh«, sagte Mila. »Der sieht aber gut aus. Toll. In den könnte ich mich auch vergucken.«

»Untersteh dich, der gehört mir. Behalte ihn gut im Auge. Ich setze mich jetzt woandershin. Er muss uns ja nicht zusammen sehen.«

Ich platzierte mich mit dem Rücken zum Gang und starrte aus dem Fenster. Ab und zu schielte ich zu ihm rüber. Beim Einsteigen hatte er sich suchend umgeblickt. Vermutlich nach mir. Jetzt setzte er sich auf einen freien Platz und zog sein Handy heraus. Er tippte darauf herum. Verstohlen schaute ich auf mein Handy. Es lief gerade eine SMS ein. Ich blickte abwechselnd zu ihm und zu meinem Handy. Konnte es sein, dass er mir eben jetzt eine Botschaft schickte? Ich könnte ja einfach zu ihm hingehen und ihn zur Rede stellen. Und wenn er es dann doch nicht war? Nee, ich hatte mich in letzter Zeit genug blamiert. Ich nahm mir vor, abzuwarten, was Mila ermittelte, und las erst mal die Message.

GUTEN MORGEN, GAZELLE, ICH VERLANGE AUF DER STELLE, DASS WIR UNS TREFFEN MÜSSEN, SONST KANN ICH DICH NICHT KÜSSEN! HDGDL!

Ich schielte zu dem Typen rüber. Er grinste grade beim Blick auf sein Handy. Wollte der mich veräppeln? Fehlte nur noch, dass er plötzlich aufsprang, mir eröffnete, dass er der Handytyp war, und einen Kuss verlangte!

Mila rutschte auf den Platz neben mich.

»Na, hat ER dir eine Message geschickt?«, fragte sie leise.

Ich hielt ihr das Handy hin.

Sie kicherte. »Wohl von der Muse geküsst, der Typ.«

Ich seufzte und schielte gespannt zu dem gut aussehenden Typ mit den unglaublich blauen Augen rüber. Er hatte sein Handy weggepackt und sah zum Fenster raus. Konnte ich mir vorstellen, ihn zu küssen?

Als der Bus an unserer Schule hielt, sah ich Mila noch einmal fragend an. »Sollen wir wirklich deswegen schwänzen?«

»Klar!«

Also blieben wir sitzen, bis er ausstieg. Das war an der Neuen Straße. Er sprang erst in letzter Sekunde hoch und aus der Tür, sodass wir nur noch unter dramatischem Einsatz unseres Lebens durch die sich schließende Tür hechten konnten. Mila war schon draußen, als mich eine unsichtbare Kraft nach hinten zog. Der Bus fuhr an, und ehe ich es recht begriff, wurde ich – skalpiert!

»Hanna!«, schrie Mila mit allen Anzeichen des Entsetzens, und als ich mich umdrehte, flatterte die kostbare Blondhaarperücke zwischen den Türflügeln des entschwindenden Busses davon. Die würde den Frisiersalon von Milas Mutter nicht mehr wieder sehen!

»Sie wird mich umbringen!«, unkte Mila, was ich ihr aber nicht abnahm.

Völlig meiner Tarnung beraubt, stürzte ich hinter den erstbesten Alleebaum.

»Was nun?«, keuchte ich, als Mila zu mir trat.

»Na, hinterher! Müssen wir halt ein bisschen vorsichtiger sein!«

»Was will er denn eigentlich hier?«, wunderte ich mich. »Ist hier denn irgendwo eine Schule?«

»Ich glaube schon«, sagte Mila. »Das heißt, ich weiß es natürlich. Klar ist da 'ne Schule. Da guck, da vorne das große Gebäude.« Sie zeigte auf einen großen Zweckbau aus Beton und Glas.

Der Typ ging tatsächlich auf den Hof der Schule.

Da blieb er stehen und zog wieder sein Handy heraus. Er war nun ziemlich weit weg, weil wir ohne meine Perücke einen größeren Sicherheitsabstand einhalten mussten.

»Ich geh mal näher ran«, sagte Mila. »Mich kennt er ja nicht!«

Und schon setzte sie sich ab. Ich hörte, wie mein Handy in meiner Jackentasche *Elise* spielte. War ja mal wieder völlig daneben! Konnte es sich nicht mal selbstständig aus den einprogrammierten Melodien etwas Passenderes aussuchen?

Ich stellte mich in einen Hauseingang und nahm den Anruf entgegen. »Ja?«

»Nur wer die Liebe kennt, weiß, was ich leide!«

»Ach nee!«

»Hast du kein Mitleid mit einer gequälten Seele?«

»Wieso?«

»Es ist dein Romeo, der spricht.«

»Hast du was getrunken?«, fragte ich misstrauisch. »Oder hast du vielleicht gekifft?«

Nach englischem Tee und Spiegelei zum Frühstück klang das jedenfalls nicht.

»Du nimmst mich doch auf den Arm?«, fügte ich hinzu, als ER schwieg.

»Nicht auf den Arm! In den Arm möchte ich dich nehmen! Ich beneide diesen Typ, der sich einfach an dich rangemacht hat und dir einen Kuss geklaut hat!«

Das hörte sich ja direkt nach Eifersucht an.

»Sehr beneidenswert«, sagte ich dennoch trocken. »Hast du vergessen, was ihm passiert ist? Ich habe ihn gebissen!«

»Würdest du mich auch beißen?«

»Wer weiß!«

Abrupt endete das Gespräch. Ich sah, dass der Bustyp sein Handy wegpackte und in die Schule ging.

Mila kam atemlos angerannt. »Na, hat ER mit dir telefoniert? Sag schon. Hast du einen Anruf gekriegt?«

»Ja, ja«, beruhigte ich sie erst mal, »ich habe einen Anruf bekommen ... aber ...«

»Kein aber! Er ist es. Er ist der geheimnisvolle Anrufer. Ich habe gesehen, wie er mit dir telefoniert hat.«

»Es könnte doch auch jemand anders gewesen sein«, gab ich zu bedenken.

Aber Mila wollte keine Einwände gelten lassen. »Ich hab gesehen, wie er telefoniert hat, und du hast zur selben Zeit einen Anruf empfangen. Und als er aufgehört hat zu telefonieren, war auch dein Gespräch beendet. Das kann ja wohl kein Zufall mehr sein!«

Hörte sich ja wirklich ganz überzeugend an. Keine Frage, meine Empfangszeiten stimmten mit seinen Sendezeiten total überein. Na, das war ja eine Überraschung.

»Hat er dich auch nicht gesehen?«, fragte ich Mila.

Sie schüttelte den Kopf. »Nein, nein, er war ja voll vertieft ins Telefonieren. Was hat er denn eigentlich gesagt?«

Ich berichtete.

»Romeo! Gequälte Seele! Seltsame Art, ein Mädchen anzugraben! Also, wenn du mich fragst, lass die Finger von dem Typ, auch wenn er aussieht wie ein Filmstar. Der spinnt!«

Ich lag auf meinem Sofa und überlegte, ob ich einen Typ, der aussah wie ein Filmstar, aber nicht ganz richtig im Oberstübchen war, lieben könnte. Was sollte ich IHM sagen, wenn ER mir noch einmal diese Frage stellte?

Sollte ich sagen: »Hör erst mal auf zu kiffen und komm auf den Boden der Realität zurück«? Und wenn ER gar nicht kiffte? Wenn ER nur eine einsame, verlorene, romantische Seele war, die nach einer gleichgesinnten Ausschau hielt?

»Ding, ding, dideldei …«

Das Handy dudelte sich mit seiner neu programmierten Erkennungsmelodie in meine Gedanken. *Elise* war mir über!

»Ja, bitte?«

»Sag, dass du mich liebst.«

»Waaas?«

»Sag, dass du mich liebst!«

»Aber ich kenne dich doch gar nicht!«

»Dann lern mich kennen. Triff mich!«

»Wo?«

»Auf dem Glockenturm der Kirche.«

Drehte der Typ jetzt voll ab?

»Du spinnst«, sagte ich ziemlich perplex. Es konnte doch nicht sein, dass ich wirklich einen Typen am Handy hatte, der mir gerade ein erstes Date anbot und sich dazu ausgerechnet die Schwindel erregende Höhe des Kirchturms ausgesucht hatte. Und das bei meiner notorischen Höhenangst! Da hörte bei mir leider der Spaß auf.

»Das ist keine sehr gute Idee«, sagte ich darum.

»Nicht? Dann geh mal auf den Balkon, Julia.«

»Bitte?«

»Du sollst auf den Balkon gehen. Dann siehst du deinen Romeo!«

Ach du geliebtes Verona! Der Typ hatte Recht. Vom Balkon aus konnte man den Kirchturm sehen.

Ich stürzte auf den Balkon. Klar hob sich der obere Teil des Glockenturms gegen den wolkenlos blauen Himmel ab. Eine zierliche Spitze mit Wetterhahn auf einer bauchigen, an mehreren Seiten offenen Schieferkuppel, die von einem kleinen Umgang mit zierlichem schmiedeeisernem Gitter umgeben war. Und genau auf dieser balkonartigen Brüstung hob sich ein dunkler Schatten gegen den Himmel ab. Natürlich konnte ich auf die Entfernung nicht mehr erkennen, als dass es sich um einen Menschen handeln musste. Aber das genügte. Denn der Schatten hob einen Arm und winkte grüßend zu mir herüber.

Wenn ich doch bloß ein Fernglas hätte, dachte ich. Ich blickte suchend ins Wohnzimmer. Oft genug lag es hier herum, weil die ganze Familie es liebte, bei Vollmond mein Mondgrundstück zu betrachten. Onkel Ansgar hatte es in Amerika von einem extraterrestrischen Immobilienhändler erworben und mir zum vierzehnten Geburtstag geschenkt. Mit Besitzurkunde und Zertifikat! Es lag gleich neben einem großen Krater, den man durch das Fernglas prächtig sehen konnte.

Heute war das Fernglas aber natürlich nicht da! Mist, dachte ich und ärgerte mich über die verpasste Chance, das Geheimnis meines anonymen Verehrers zu lüften.

Der mengte sich gerade mal wieder heftigst per Handy in mein Leben. »Erhörst du mich nun oder nicht? Ohne dich, Julia, ist mein Leben sinnlos. Sag, dass du mich liebst. Ein bisschen wenigstens. Ein Tröpfchen Liebe für deinen verdurstenden Romeo.«

Der knallt durch, dachte ich mit Schrecken. Der ist ja außerirdisch! Woher will der wissen, dass ER mich derart unsterblich liebt, wo ER mich doch gar nicht kennt! Und ich? Ich konnte doch nicht sagen, dass ich IHN liebte, ohne zu wissen, wer ER war. Was wusste ich denn bisher überhaupt von IHM? Nichts Konkretes jedenfalls! Nur, dass ER den besten Telefonsülz lieferte, der mir je zu Ohren gekommen war, und ziemlich ausgeflippt zu sein schien. Und vielleicht einem Filmstar ähnlich sah.

Das hier war allerdings ziemlich krass. Musste ER ausgerechnet ein Date auf dem Kirchturm von mir verlangen? Da kam ich doch nie heil oben an. Schon der Gedanke, auf einer Kirchturmspitze stehen zu müssen, brachte meine Knie zum Zittern. Konnte ER nicht auf dem Boden bleiben und sich mit mir schlicht und ergreifend an der Linde im Stadtpark treffen?

Ich starrte weiter gebannt zum Kirchturm.

»Na, kommst du?«, fragte es aus dem Handy. »Ich warte!«

Der Wunsch nach einem Date war ja nun nicht gerade neu in unserer virtuellen Beziehung. Neu war allerdings, dass ER ihn äußerte, denn bisher war ich es immer gewesen, die darauf gedrängt hatte.

»Ähm ... tja ... äh ...«, stammelte ich, weil mich erneut Horror vor dem hohen Kirchturm befiel. Andererseits konnte ich IHN doch in dieser offensichtlich leicht verwirrten Verfassung nicht da oben herumhampeln lassen. Sicher hatte es IHN ganz viel Überwindung gekostet, sich zu diesem Treffen durchzuringen. Vielleicht hatte IHN sogar nur die Eifersucht getrieben, die Sorge, dass IHM jemand anderes bei mir zuvorkommen könnte. Vielleicht war ER nur deswegen plötzlich bereit, sein Inkognito zu lüften! Wer weiß, was ER tat, wenn ich ihn jetzt versetzte? Womöglich stürzte ER sich vor Enttäuschung vom Turm und ich konnte IHN dann vom Trottoir kratzen. Nee, danke!

Vielleicht ließ ER sich ja auf einen anderen Ort ein. Es kam nur auf einen Versuch an.

»Äh ... muss es denn unbedingt auf dem Glockenturm sein?«

»Natürlich, unbedingt! Übrigens wunderbare Aussicht hier oben.«

Hm, das war danebengegangen. Ich starrte zum Kirchturm. Nicht nur hoch, sondern auch ziemlich einsam da oben, dachte ich.

Was, wenn der Typ ein Perverser war, der mir eine Falle stellte, um da oben über mich herzufallen? Mich schauderte. Oder wenn ER gar ein Mörder war? Wenn ER arglose, romantische Mädchen wie mich auf Kirchtürme lockte, um sie schnöde hinunterzustoßen und sich an ihren Entsetzensschreien zu weiden?

Hanna, meldete sich die Stimme der Vernunft, nun zügle mal deinen Hang zu Horrorfilmen. So 'n Schmonz gibt es nie und nimmer im wirklichen Leben! Sieh die Sache mal realistisch. Der Typ ist voll in dich verknallt. Seit Wochen bröselt ER dich zu. Nun will ER die Früchte, die er gesät hat, ernten. ER wird also weder dich noch sich über dieses zierliche schmiedeeiserne Kirchturmgitter werfen. Also nimm die Dinge, wie sie sind. Du kannst hingehen und IHN endlich persönlich kennen lernen oder IHM sagen, dass du Angst vor Kirchtürmen hast. Im ersten Fall ist deine Handy-Romanze zu Ende und das Geheimnis um diesen Typen gelüftet. Im zweiten Fall geht das Spielchen eben noch etwas weiter, bis ER dir einen tiefer gelegenen Ort für ein Date vorschlägt.

»Nun?«, unterbrach die wohl bekannte Stimme aus dem Handy meine Gedanken. »Ich warte.«

Ich seufzte grottentief. Okay, dachte ich, einmal muss Schluss sein. Und wenn es auf dem Kirchturm sein soll, dann meinetwegen auch das. Brach ich halt in seinen Armen zusammen! Wer weiß, vielleicht war es ja genau das, was der Typ sich wünschte!

»Ich komme«, sagte ich, obwohl ich mir immer noch nicht sicher war, ob ich das auch wirklich wollte. Aber nun war es raus. Und der Typ hatte sofort sein Handy ausgeschaltet. Fieser Trick mal wieder.

Nun blieb mir wirklich nichts anderes übrig als hinzugehen.

Ich schaute zum Kirchturm hinüber. Der Schatten war verschwunden. Vielleicht war ER auf die Rückseite gegangen. Jedenfalls war nichts mehr von dem Typen zu sehen.

Bevor ich losging, rief ich Mila an.

»Das willst du doch nicht wirklich machen!«, sagte sie sofort warnend. »Wer weiß, was das für ein Abartiger ist! Denk bloß mal an dieses Henkersgedicht!«

»Ach, das war doch nur wegen dem Gruftilook. Ein Scherz, weiter nichts. Du fandest es doch selbst ganz cool!«

Ich traute ihm einfach nichts Schlechtes zu. Er war witzig, romantisch, ein bisschen exzentrisch vielleicht, aber für krank oder gefährlich hielt ich ihn nicht.

»Ich glaube nicht«, sagte ich darum, »dass sich ein Mensch über Wochen so verstellen kann. Du vermutest doch selbst, dass es der Typ aus dem Bus ist. Wenn du Recht hast, wird es schon nicht so schlimm werden.«

»Na ja, so was Abgedrehtes würde ich dem ja zutrauen! Trotzdem. Ein Kirchturm ist ein ziemlich ungewöhnlicher Ort, um sich das erste Mal mit einem wildfremden Menschen zu treffen. Nicht ganz ungefährlich! Ich hoffe, du weißt, was du tust.«

»Ach, Mila«, seufzte ich. »Eigentlich weiß ich wirklich gar nichts mehr! Aber wenn ich nicht gehe, werde ich vielleicht nie erfahren, wer ER ist. Ich wollte dir eigentlich nur Bescheid sagen. Vielleicht kannst du ja auch zur Kirche kommen. Zur Sicherheit. Und … falls mir schlecht wird!«

»Schlecht wird?«

»Du weißt doch, meine Höhenangst!«

»Ach so, das auch noch! Geht's bei dir auch mal ohne Komplikationen? Na egal, ist doch klar, dass ich komme!«, erklärte sich Mila sofort bereit. »Ruf am besten Kati auch noch an, dann passen wir beide auf dich auf.«

Gute Idee. Ja, auf meine Freundinnen war eben Verlass!

Ich beendete den Anruf und wählte schnell Katis Nummer.

»Ich sitze grade in der Badewanne«, sagte sie, war aber ebenfalls höchst alarmiert.

Ich sah sie förmlich aus den Fluten springen und sich die Tropfen aus dem Pelz schütteln.

»Ich komme sofort! Dass du ja nicht alleine dahin gehst!«

Nun, wo ich mir der Unterstützung meiner Freundinnen sicher sein konnte, war mir schon sehr viel wohler. Ich schaute noch einmal zum

Kirchturm, aber von meinem anonymen Verehrer war wirklich nichts mehr zu sehen. Dass der Typ für jede Überraschung gut war, wusste ich ja inzwischen.

Am Fuß des Glockenturms trafen wir drei wieder zusammen.

»Ihr könnt natürlich nicht mit raufgehen«, sagte ich.

»Klar können wir!«, widersprach Mila. »Du gehst nicht ohne uns!«

»Dann bleibt ihr aber unter der Glockenplattform und kommt nur raus, wenn ich schreie«, verlangte ich.

»Na, du hast ja volles Vertrauen zu dem Typen«, lästerte Kati.

Aber Mila sagte ernst: »Gut, das können wir machen. Aber warte nicht zu lange. Wenn der dir komisch kommt, schrei sofort los!«

Inzwischen war mir selbst immer mulmiger geworden und ich war froh, dass ich die beiden dabeihatte. Freundinnen waren wirklich nicht mit Gold aufzuwiegen. Besser als jede Lebensversicherung.

Wir machten uns leise an den Aufstieg.

»Pst«, mahnte ich, »nicht, dass der Typ was merkt.«

Schnaufend erreichten wir die Etage unter der Glockenplattform. Nun musste ich alleine weitergehen, ohne meine Bodyguards. Ich holte einige Male tief Luft, dann machte ich mich an die letzte Etappe. Meine Neugier war inzwischen größer als meine Angst vor der Höhe und vor IHM.

Ich sah das Licht des Ausstiegs. Es blendete meine Augen nach dem Halbdunkel des Turms.

Vorsichtig nahm ich die letzten Stufen. Dann stand ich mit leicht zitternden Knien in der Türöffnung und sah den Umgang mit dem schmiedeeisernen Gitter vor mir.

Zögernd trat ich hinaus. Was würde ich sehen oder vielmehr wen würde ich sehen? Langsam und immer mit einer Hand am Geländer umrundete ich die Turmspitze. Oje, war mir vielleicht schlecht! Wusste der Typ überhaupt, was er mir mit diesem doppelten Stress zumutete?! Aber egal, jeden Augenblick konnte ich IHM gegenüberstehen und das Geheimnis würde gelüftet sein.

In meiner Phantasie geriet dieser Moment zu einem bombastischen Mega-Ereignis. Ich sah einen Jungen vor mir, der einem Filmstar nicht unähnlich war, die Augen des sportlichen Cellospielers und das verhaltene Lächeln dieses Typen aus dem Bus in den Mundwinkeln hatte. Er trug einen Rosenstrauß im Arm und hatte am Geländer einen herzförmigen Gasluftballon angebunden, auf dem *Ich liebe dich* stand.

Ich blieb stehen.

Vor mir sah ich die Tür zum Turm, aus der ich herausgestiegen war. Konnte es sein, dass ich bereits einmal um den Kirchturm herumgegangen war?

Musste wohl so sein. Aber wo war der Typ? Zufällig sah ich durch das Gitter nach unten. Mir brach der Schweiß aus und meine Hände begannen zu zittern.

Dennoch machte ich die Runde noch einmal, nun aber schneller. Niemand da. Keine Frage, der Typ war weg. Entwischt. Über alle Berge. ER hatte mich gefoppt.

Vor lauter Wut vergaß ich ganz, in welcher Höhe ich mich befand. Da fiel mein Blick auf eine Graffitischrift an der Wand neben dem Ausstieg. Die Farbe war noch feucht. Nur ER konnte sie gesprüht haben.

Mit gemischten Gefühlen las ich: *My lovely! There's a place for us – somewhere.*

Es war nicht nur der dröhnende Viertelstundenschlag der kleinen Glocke, der in meinem Kopf einen Wirbel sich drehender Farben auslöste.

»Mila!«, schrie ich und griff Halt suchend zur Wand.

Sekunden später standen meine beiden Freundinnen neben mir. Mila stützte mich.

»Geht's wieder?«, fragte sie.

Beide waren sichtlich aufgeregt, aber vor allem erfreut mich zwar leicht durch den Wind, doch ansonsten heil und gesund anzutreffen.

»Und?«, fragte Kati. »Wo ist er nun, der große Mister Unbekannt?«

Ich zuckte die Schultern und deutete auf die Schrift. »Keine Ahnung. ER hat sich aus dem Staub gemacht. Das ist die einzige Spur, die ER hinterlassen hat.«

Mila sah erst das Graffiti, dann mich mit einem seltsamen Ausdruck an. »Was meint er damit, irgendwo gibt es einen Platz für euch?«

Wieder zuckte ich die Schultern, denn ich hatte das Gefühl, dass er nichts Konkretes gemeint hatte. Ich dachte an die Szene, wie ich die Melodie dieses Liedes auf dem Klavier gespielt hatte und ER dazu sanft die Worte ins Handy gesprochen hatte: *There's a place for us – somewhere.* Vielleicht war das Graffiti einfach nur der Ausdruck einer heimlichen Sehnsucht. Einer Sehnsucht nach einem noch idealeren Ort für unsere erste Begegnung. Aber das behielt ich für mich.

ER hatte ja inzwischen offenbar genauso ein Bedürfnis, mich zu sehen, wie ich. Und ER hatte sicher auch die gleiche Angst davor. ER will uns ein unvergessliches erstes Date schenken, dachte ich. Und nichts, nicht einmal die Kirchturmspitze, genügt seinen Ansprüchen. Vermutlich ist ER besessen von dem Wunsch, etwas Einzigartiges, Großartiges zu diesem Zweck zu inszenieren.

Das muss ich IHM ausreden, beschloss ich. ER sollte doch nicht enden wie jener arabische Baumeister, der seine Braut erst sehen wollte, nachdem er ihr das wunderbarste Haus auf Erden gebaut hatte. Seine Braut wurde alt und grau darüber und er starb, als er den letzten Stein setzte, ohne sie je gesehen zu haben ...

Als ER mich abends anrief, fragte ich nicht, warum er nicht auf dem Turm geblieben war. Ich fragte IHN nicht, warum er im entscheidenden Augenblick davongelaufen war, warum IHN der Mut verlassen hatte, sondern ich erzählte IHM das Märchen.

»Ich werde darüber nachdenken«, sagte ER und legte eine CD für mich auf. »Schlaf trotzdem gut, Scheherazade.«

Ich legte das Handy neben mich auf das Kopfkissen, rollte mich in eine bequeme Position und lauschte.

Let me be the one for you ...

Am nächsten Morgen fuhr ich mit sehr gemischten Gefühlen mit dem Bus.

Als der Typ am Lerchenweg einstieg, drehte ich mich weg, bevor er mich anlächeln konnte. Ich hätte seinen Blick nicht ausgehalten.

Es war schon ein seltsames Gefühl, mit jemandem

über das Handy so eng verbunden zu sein und ihm dann am liebsten aus dem Weg gehen zu wollen, wenn er als wirkliche Person auftauchte. Allmählich begriff ich, warum es IHM offenbar so schwer fiel, unsere Handy-Romanze mit einer schlichten Verabredung zu beenden. Was war, wenn sich das, was über das Handy so leicht und witzig war, nicht in die Alltagswelt hinüberretten ließ?

Verstohlen schielte ich zu dem Typ rüber. War er am Handy als heimlicher Verehrer vielleicht ein ganz anderer Mensch als in Wirklichkeit? Hatte er für sich und mich einen Traum, ein lustvolles Spiel inszeniert? Theater, bei dem irgendwann der Vorhang fallen musste?

Als ich ausstieg, begegneten sich unsere Blicke doch. Er lächelte. Hinreißend wie immer!

»Na? Wie hat deine Mutter den Verlust der Perücke aufgenommen?«, fragte ich Mila in der Schule.

»Herzlos. Sie meinte, ich könnte jetzt erst mal ein paar Wochen ohne Bezahlung den Salon aufräumen.«

»Gemein!«, sagte ich, fügte aber solidarisch hinzu: »Natürlich helfe ich dir. Es war ja schließlich meine Schuld.«

Wir schlenderten über den Schulhof an einer Jungengruppe vorbei, in der Mark mal wieder das große Wort führte.

Natürlich blieben uns ein paar anzügliche Pfiffe beim Vorübergehen nicht erspart.

»Hey, Hanna!«, rief Mark. »Bald ist wieder *Bizarre Monday* im Harlekin! Keine Lust?«

»Nee, danke! Mein Bedarf an Bizarrem ist zurzeit hinreichend gedeckt«, lehnte ich ab und dachte an das Zittern in meinen Eingeweiden oben auf dem

Kirchturm. Seelischer Wiederkäuer, der ich war, musste ich diesbezüglich erst mal einen zweiten Verdauungsgang einlegen.

Wir gingen schnell weiter, um den dummen Sprüchen zu entkommen, die Knolle und Konsorten wieder loslassen würden.

»Mit denen in die Skifreizeit fahren zu müssen, wird ja wohl die Härte!«, stöhnte ich.

»Es fahren ja nicht alle mit«, tröstete Mila.

»Die Schlimmsten aber doch«, sagte ich und dachte an Mark, Knolle und Kiwi.

»Dafür sind ja auch ein paar nette Leute aus der Neunten dabei, nicht wahr?«, grinste Kati, die sich uns angeschlossen hatte und meinen Seufzer gehört hatte. »Fährt Branko nicht auch mit?«

»Ich glaube schon«, sagte ich. »Apropos Branko. Kann man über den nicht mal ein bisschen mehr erfahren, außer dass er Jugendmeister im Laufen war?«

»Aber klar!«, riefen Mila und Kati wie aus einem Mund und ich bereute, dass ich diesen Wunsch ausgesprochen hatte. Aber nun war es zu spät. Die beiden würden blitzartig ausschwirren, um Infos über Branko einzuholen.

Leider war das, was sie dann erzählten, nicht gerade ermutigend.

»Also ich habe mit Carmen gesprochen. Ihr Bruder ist auch in der 9 a. Sie meint, Branko geht mit Sophie«, berichtete Mila.

»Unsinn«, fuhr Kati dazwischen, »der hat eine Freundin in Rumänien.«

Ehe sie sich ernsthaft streiten konnten, seufzte ich resigniert: »Wie auch immer, jedenfalls ist er nicht mehr zu haben. Schade, wäre auch zu schön gewesen.«

Beide schauten mich mitleidig an und Kati sagte: »Meine Güte, Hanna, dich hat es ja echt erwischt.«

»Nimm's nicht so tragisch«, tröstete Mila. »Du hast doch noch den Bustypen!«

Als ich an diesem Mittag vor dem Chor mit Mila in den Citypoint ging, um schnell einen Snack zu futtern, hatte ich eine Begegnung der dritten Art. Ich stand am Biocorner und schlürfte gerade einen frisch gepressten Möhrensaft, als ich aus einem Shop den Bustypen treten sah. Ich verschluckte mich bei dem unverhofften Anblick an meinem Saft und brach in bellenden Husten aus.

Völlig hektisch stieß ich Mila an: »Da, da ist er. Was der hier wohl macht?«

»Das werden wir gleich rauskriegen. Hinterher!«

»Wenn er mich erkennt! Das geht doch nicht.«

»Vorsicht!« Mila gab mir einen Schubs, sodass ich gegen eine der Säulen der Einkaufshalle flog.

»Spinnst du?«

»Pst! Der Typ kommt genau auf uns zu!«

Ach du Schreck. Tatsächlich! Er steuerte in unsere Richtung. Was nun?

Ich verkroch mich so gut es ging hinter der Säule. »Stell dich vor mich, los, dichter!«, flüsterte ich nervös und zerrte Mila näher an mich ran.

Was für eine unmögliche Situation. Aber was hatte er auch hier zu suchen und wo wollte er überhaupt hin?

Jetzt war er auf einer Höhe mit uns. Milas Haare kitzelten mich an der Nase. Nein, das nicht auch noch. Ein heftiger Nieser stob in alle Winde. Der Typ sah zu uns rüber. Ich vergrub meinen Kopf fast ganz in Milas Haaren. Jetzt hielt er uns bestimmt für ein lesbisches Pärchen. Na egal, Hauptsache, er erkannte mich nicht, denn nur dann konnten wir ihn überhaupt verfolgen und endlich ein bisschen mehr über ihn herauskriegen.

Dann war er vorüber.

Ich atmete auf. »Und nun?«

»Na, ihm nach!«

Milas Tatendurst war ungebremst. Also schlichen wir ihm vorsichtig nach. Er fuhr die Rolltreppe rauf und verschwand in einem italienischen Eiscafé im ersten Stock. Durch die große Scheibe hatte man einen guten Blick ins Innere.

Ich stellte mich unauffällig hinter einen Kleiderständer mit billigen Jeans und tat so, als wollte ich mir eine aussuchen. Dabei schielte ich natürlich in das Eiscafé.

Er ging ziemlich zielstrebig auf einen Tisch zu. Und an diesem Tisch saß eine kleine, niedliche Brünette mit megagroßen Kulleraugen und strahlte ihn an. Mir blieb die Luft weg. Jetzt beugte er sich zu ihr herunter und drückte ihr einen Kuss auf die Wange.

»Dieser Bigamist!«, schimpfte Mila.

»Vielleicht ist es seine Schwester«, sagte ich.

»Ach, und du bist mein siamesischer Zwilling!«, höhnte Mila.

Er winkte der Bedienung, bestellte etwas und legte dann einen Arm um seine »Schwester«. Er zog sie dicht zu sich heran und begann – meine Augen fielen mir bald aus dem Kopf – heftig mit ihr zu knutschen.

Ich griff Halt suchend nach Milas Arm.

»Das ist ja wohl ein starkes Stück, es mit zwei Frauen gleichzeitig zu treiben!«, sagte Mila.

Aber ich hatte keine Lust mehr, mir weiter was vorzumachen, und sagte einigermaßen cool: »Ich schätze, da haben wir wohl etwas falsch gelegen!«

Snow Down

Die Liebe ist schon ein seltsames Spiel. Da war ich noch vor wenigen Stunden felsenfest davon überzeugt gewesen, dass der Typ aus dem Bus mein geheimnisvoller Anrufer war, und hatte mir vorgestellt, wie ein erstes Date mit ihm aussehen könnte, und nun hatte ich ihn in inniger Umarmung mit einer anderen gesehen und fühlte nicht einmal einen kleinen Schmerz. Hatte mein Unterbewusstsein mir trotz des heftigen Zuredens meiner Freundinnen vielleicht schon längst signalisiert, dass die Spur zu ihm ein Irrweg war? Wenn mein Verstand auch zurzeit wohl nicht so ganz auf der Höhe war, meine Instinkte jedenfalls schienen noch zu funktionieren.

Kleiner Trost.

Wir saßen beim Milchkaffee und schmiedeten Pläne für die Skifreizeit.

»Ich finde es ja so was von toll, dass die aus der Neunten auch mitfahren«, sagte ich gerade und schlürfte genussvoll den heißen Kaffee. Draußen war es richtig ungemütlich geworden. Nach dem Nachtlauf hatte das Wetter abrupt umgeschlagen und sogar erste Nachtfröste hatte es schon gegeben.

Am Morgen waren Bäume und Sträucher weiß bereift und die am Bus vorbeifliegende Landschaft war ein einziger Märchentraum. Sie lenkte mich von diesem lächelnden Casanova im Star-Look ab. Wenn ich daran dachte, dass ich mir wegen diesem

Typen beim Sprung aus der Bustür fast den Hals gebrochen hätte! Und dass eine teure Perücke aus dem Laden von Milas Mutter dran glauben musste! Wie konnte ich bloß annehmen, dass er der Typ war, der's wert war!

»Sag mal, bezieht sich deine Begeisterung auf alle, die mitfahren?«, holte Milas Stimme meine Gedanken zurück in die gemütliche Kaffeerunde. »Oder bezieht sie sich nur auf einen gewissen Typ, der Branko heißt? Ich wette, du hast den immer noch im Kopf!«

Ich grinste und dachte daran, wie wir dicht zusammen auf der Bank in der Pizzeria gehockt hatten. Immerhin hatte er da auch mich mit Pizzastückchen gefüttert und nicht nur Sophie. Und sie schien nichts dabei gefunden zu haben. Vielleicht war die Sache doch nicht ganz aussichtslos für mich.

»Was ist dabei?«, fragte ich aus diesen Gedanken heraus. »Ich finde ihn wirklich nett und freue mich darauf, dass wir zusammen auf die Skihütte fahren, auch wenn ich mir sicher gleich am ersten Tag auf dem Babyhügel die Haxen brechen werde!«

Als ich das sagte, hatte ich natürlich noch keinen blassen Schimmer davon, wie halsbrecherisch das Unternehmen Skifreizeit tatsächlich werden sollte.

Erst einmal jedenfalls galt es sich vorzubereiten. Sprinter tat alles, um uns für die extremen Anforderungen der Bergwelt und des alpinen Skisports zu stählen. Seine Kurse zur Skigymnastik waren die reinste Folter. Mein einziger Trost in dieser qualvollen Zeit des immer währenden Muskelkaters und der knackenden Kniegelenke war Branko.

Bei der Skigymnastik konnte ich kaum meine Augen von ihm nehmen!

Ob Rumpfbeugen, Wedelübungen oder Schranz-hocke, ich gaffte aus jeder Position zu ihm rüber, bis Mila mir zuzischte: »Mach dich nicht lächerlich mit deinem Geglotze!«

Erschreckt fuhr ich zusammen, vernachlässigte die Spannung in meinen Oberschenkeln, verlor das Gleichgewicht und landete auf dem Po. Mist! Das war ja wohl noch peinlicher!

»Wie kannst du mich so erschrecken«, fauchte ich Mila an.

»Sorry«, sagte sie, grinste aber zugleich schaden-froh. Das wollte nun meine beste Freundin sein!

Mit rotem Kopf rappelte ich mich auf und brachte mich wieder in die vorschriftsmäßige Posi-tion.

Nicht nur wegen dieses Zwischenfalls hatte ich den Eindruck, für den Skisport gänzlich ungeeignet zu sein.

Nach dem Training duschten wir schnell und hingen dann noch ein Stündchen in der Cafébar ab.

»Ich weiß gar nicht, ob ich mitfahren soll«, stöhnte ich und fühlte den Muskelkater meine Oberschenkel raufkriechen. »Ständig liest man was von Lawinen und Verschütteten und dann diese hohen Berge! Bei meiner Höhenangst komme ich da nie rauf und schon gar nicht wieder runter!«

»Unsinn«, sagte Mila, »runter kommen sie alle!«

»Aber wie?!«, sagte ich im Gefühl düsterer Vor-ahnung.

Anfang Dezember ging es spät am Abend los! Ein ganzer Bus aufgekratzter Acht- und Neuntklässler, nebst Sprinter, Frau Kempinski und Old Mac Donald sowie zwei Busfahrern, die sich während der langen Nachtfahrt abwechseln sollten.

Natürlich waren die schlimmsten Bratzen mal wieder dabei. Mark, Vanessa, Kiwi, Knolle und so weiter und so weiter.

Vanessa im todschicken Wintersport-Outfit, mit neuester Elesse-Jacke, megateuren Moonboots und einer Skisonnenbrille von Joop. Kreisch! Warum trug sie die denn bloß jetzt mitten in der Nacht?!

»Vielleicht ist sie mondsüchtig«, sagte Mila auf meine diesbezügliche Frage.

Und Kati meinte ganz esoterisch bewandert: »Der Mond tritt ins letzte Drittel, das kann sensitiven Naturen schon zu schaffen machen.«

»Und damit meinst du Vanessa?«, fragte ich.

Die und eine sensitive Natur. Da blökte ja das Mondkalb!

Es war halb elf am Abend. Unsere Eltern hatten uns mit dem ganzen sperrigen Gepäck zur Schule gebracht, von wo aus der Bus gleich losfahren würde. Die meisten von uns hatten sich Skier, Stöcke und Skistiefel bei einem Sportgeschäft geliehen. Alles wurde im Bus verstaut.

»Gepäck und Skiausrüstung werden zur Hütte raufgefahren«, beruhigte uns Sprinter, »aber den Rucksack mit Schuhen und Verpflegung müsst ihr beim Aufstieg zur Hütte selber tragen. Packt also nichts rein, was euch unnötig belastet.«

Außer Futter hatte ich eigentlich nicht viel drin, jedenfalls nichts Belastendes. Mein geliebtes Handy ausgenommen.

Ich wusste selbst nicht, wozu ich es zählen sollte. Immerhin hatte ich ziemlich lange überlegt, ob ich es überhaupt mitnehmen sollte. Irgendwie fand ich den Gedanken verlockend, mir und diesem Handytypen einmal eine Besinnungspause zu gönnen. Aber dann hatte ich es doch nicht fertig gebracht und redete mich damit heraus, dass ich unbedingt den Kontakt zu meiner Familie halten musste, weil Mama sonst vor lauter Sorgen vergehen und Papa sich bestimmt wer weiß was für Vorstellungen über das wilde Hüttenleben machen würde.

Im Moment hatte ich erst mal an anderes zu denken. Ich ergatterte einen angenehmen Platz im Mittelteil des Busses, direkt neben Mila. Ein letztes Winken zu den Eltern und dann ging es los, auf den langen nächtlichen Trail. Ich nahm mir vor, bald einzuschlafen, um am nächsten Tag möglichst frisch für all das Neue zu sein, was mich erwartete.

Die ganze Zeit hatte ich so ein leichtes Kribbeln im Bauch, und bevor ich mich zur Ruhe in den Sitz sinken ließ, musste ich unbedingt noch einmal aufstehen, um unauffällig einen Blick auf Branko werfen zu können.

Er saß natürlich mit seinen Leuten aus der Neunten zusammen und lachte gerade über einen Scherz von Sophie. Hatte er tatsächlich was mit ihr? Ich musste mir eingestehen, dass mir das gar nicht gefallen würde. Und wieder wunderte ich mich darüber, wie die letzten Wochen meine Einstellung zu Jungen im Allgemeinen und vor allem im Besonderen verändert hatten. Durch meinen Handytypen hatte ich zum ersten Mal einen Jungen als einen lustigen und interessanten Gesprächspartner kennen gelernt, der mit einem Mädchen mehr im Sinn hatte, als es nur für seine pubertären Anwandlungen auszunutzen und es bei jeder sich bietenden Gelegenheit abzuschlecken.

»Kiwi, hör auf, mir dauernd ins Kreuz zu trampeln«, meckerte Vanessa gerade. Das erinnerte mich daran, dass ich das gleiche Problem hatte.

»Hey, Mark, kannst du deine Hufe mal woanders

hin sortieren?«, brüllte ich gegen seinen Walkman an.

Er grinste unverschämt wie immer. »Und was springt für mich dabei heraus?«

»Darf es die längste Praline der Welt sein?«

»Der längste Kuss der Welt wäre mir lieber!«

»Oh my God!«, stöhnte ich.

»Mark, lass Hanna endlich in Ruhe«, sprang Mila mir bei. »Die ist längst vergeben!«

Wie bitte? Hatte ich richtig gehört! Ich war schon vergeben?

»Was soll das denn?«, zischte ich ihr zu.

»Ich denke, du willst ihn los sein!«

»Ja, aber so doch nicht! Wenn das bekannt wird, schaut mich kein Junge mehr an!«

Irgendwann verstummten die Gespräche im Bus und das eine oder andere Schnorcheln und Schnarchen zeigte an, dass allmählich Morpheus das Regiment übernahm. Mila schlief schon lange und ihr Kopf sank langsam auf meine Schulter. Ich schob ihn sanft in eine stabile Seitenlage und schloss auch die Augen.

Mein Handy piepte leise und kündigte eine Message an. Na, wenigstens war es nicht das sonst übliche Schlaflied. Es war ein Schlaf ... äh ... Schafgedicht.

DAS MONDSCHAF RUPFT SICH EINEN HALM
UND GEHT DANN HEIM AUF SEINE ALM.
DAS MONDSCHAF.

Ich kicherte leise und las weiter.

COOLE TAGE AUF DEM GLETSCHER. LOVELY! HDL.

Das war ja wieder richtig süß. Ich packte das Handy weg und bedauerte, dass ich IHM nicht auch einen Gruß schicken konnte. Wenn ich doch nur seine Nummer hätte!

Ich war wohl auch eingedämmert, denn als ich das nächste Mal bewusst um mich blickte, war es heller Morgen und wir waren bereits in der Schweiz.

»Oh Gott, wie sehe ich aus«, stöhnte Vanessa beim Blick in ihren Taschenspiegel und zupfte an ihrer verwuschelten Dauerwelle herum.

»Du solltest eher was gegen die Schatten unter den Augen tun«, empfahl Kati ihr brutal.

Und schwupp! hatte Vanessa wieder einen Grund, ihre coole Sonnenbrille aufzusetzen.

»Als ob hier der Gletscher strahlt!«, meinte Mila zynisch.

An einer Raststätte fuhr der Bus raus.

»Frühstückskaffee muss sein«, sagte der Busfahrer und wir stürmten erst einmal alle die Toiletten und den Waschraum. Das war doch etwas angenehmer als die entsprechenden Lokalitäten im Bus!

Wir holten uns einen großen Pott Kaffee und aßen dazu die von unseren Müttern liebevoll und reichlich geschmierten Schnittchen. Gestärkt und gut gelaunt ging es dann auf die letzte Etappe in die französischen Alpen.

Gegen Mittag erreichten wir die Talstation. Das Gepäck wurde in die Kabinenbahn umgeladen und zur Mittelstation hochgefahren, wo es von einem Pistenfahrzeug abgeholt und zur Hütte gebracht wurde. Die Hütte lag etwas abseits der Mittelstation, sodass wir etwa eine halbe Stunde zu Fuß gehen mussten.

Ziemlich ausgepowert kamen wir schließlich bei der Hütte an. Sie machte einen reichlich rustikalen Eindruck. Hier hatten offenbar schon viele Schüler ihren Frust über den Skisalat ausgekotzt. Jedenfalls war es überall verdächtig fleckig.

»Igitt, wie eklig«, sagte Vanessa beim Anblick des Teppichbodens in unserem Zimmer.

»Guck doch mal nebenan«, empfahl ich ihr nicht ganz uneigennützig, »vielleicht ist es da sauberer.«

Sie setzte meinen Vorschlag erfreulicherweise sofort in die Tat um, und da sie nicht wiederkam, hatten wir drei unsere Ruhe.

Ich war ja nicht von der zimperlichen Sorte Frau, aber als Mila mit spitzen Fingern ein fleckiges Deckbett hochhob, um es neu zu beziehen, wurde mir regelrecht übel.

»Da haben doch schon Generationen von Schülern reingereihert«, sagte sie mit Kennerblick.

»Wurde das denn nicht gereinigt?«, fragte Kati.

Mila roch dran.

»Doch«, sagte sie nach dem Geruchstest, »riecht nach Weichspüler und Desinfektionsmittel. Kotzflecken hinterlassen halt Ränder!«

Es dauerte nur wenige Stunden und ich fügte höchst persönlich ein paar weitere hinzu.

Die sympathischen Herbergseltern hatten sich herabgelassen, uns zur Begrüßung eine Art Glühwein zu brauen. Sprinter hatte ihn nach einer ersten Kostprobe mit ein paar mitgeführten Ingredienzien verfeinert und dabei unauffällig seinen Alkoholgehalt angehoben.

Durchgefroren und durstig trank ich zwei Becher von dem Zeug, das gar nicht übel schmeckte.

Als ich danach auf die Veranda der Hütte trat, bot sich mir ein herrlicher Blick ins Tal. Der machte mir zum ersten Mal bewusst, wo ich war. Auf einem hohen Berg!

Der Schwindel, der mich erfasste, veranlasste meinen Magen abrupt, sein Innerstes nach außen zu drehen. Ich machte auf dem Absatz kehrt und stürzte zum Klo. Leider in der Hektik unterwegs auch Sprinter in die Arme.

»Hoppla«, sagte er und stellte mich wieder auf die wackeligen Beine. Dann sah er mich scharf an und fügte missbilligend hinzu: »Schon am ersten Tag besoffen?«

Und ich wusste, dass ich damit mal wieder keine Pluspunkte bei ihm gesammelt hatte.

Ich stolperte einen Schritt von ihm weg und spuckte dann den gesamten Begrüßungspunsch in eine Fensternische.

Mitleidlos forderte er mich auf, die »Sauerei« wegzumachen. »Lass in Zukunft die Finger vom Alkohol, wenn du ihn nicht verträgst«, riet er und trollte sich dann.

Wütend sah ich ihm nach und dachte: Dann kipp du nicht so viel davon in den Punsch rein!

Aber daran sollte ich mich gewöhnen müssen. Sprinter braute weiter dieses höllische Gesöff, das er Hüttenpunsch nannte und mit dem sich nach dem anstrengenden Skitraining jedermann zudröhnte. Er ganz besonders.

Nach der Erfahrung des ersten Tages trank ich allerdings keinen Tropfen mehr davon.

Frau Kempinski sah Sprinters Verhalten mit leichter Missbilligung zu, war aber auch kein Kind von Traurigkeit und konnte, besonders wenn sie mit Old Mac Donald und einer singenden Gruppe am Kamin zusammenhockte, auch einen ganz schönen Stiefel vertragen.

Sprinters Spirituosenkonsum steigerte offenbar nicht seine Fähigkeiten als Skilehrer. Er legte mal wieder voll seine Bundeswehrmentalität an den Tag und brüllte uns ständig zusammen. Mein ohnehin nicht sehr stabiles Selbstbewusstsein bekam sofort einen gewaltigen Knacks bei diesen einfühlsamen Unterrichtsmethoden. Wir waren »der lahmste Haufen, den er je gesehen hatte«, »fürs Skifahren völlig ungeeignet, begriffsstutzig und saudumm«. Vanessa war eine »dusselige Kuh«, Kiwi eine »Katastrophe« und ich natürlich mit meiner Höhenangst eine »hysterische Bergziege«.

»Skispitzen zusammen!«, schrie er. »Knie einwärts drehen. Druck auf die Spitzen! Belasten, belasten, stopp, bremsen, bremsen, BREMSEN!!!«

Zu spät, er sprang erst zur Seite, als Vanessa, die dusselige Kuh, in rasendem Entgleitpflug auf ihn zubretterte. Krachend gingen beide zu Boden. Noch war uns das Lachen nicht ganz vergangen und so kicherten wir, als er sich die Nase hielt und konsterniert auf zwei Tröpfelchen Blut starrte, die in den blütenweißen Schnee fielen. Wie bei Schneewittchen, dachte ich. Aber Sprinters Stimmung war gar nicht märchenhaft und Vanessa hielt sich stöhnend das Knie, mit dem sie ihm den Schlag gegen das Nasenbein verpasst hatte.

Meine ersten Gehversuche auf Skiern fielen allerdings auch ziemlich unbeholfen aus. Diese langen Dinger an meinen Füßen hatten die dumme Angewohnheit, immer dahin zu wollen, wo ich nicht hinwollte, und das auch noch in verschiedene Richtungen. Statt dass die Skispitzen im Schneepflug schön zusammenblieben, drifteten sie stets auseinander, sodass es mich schier zu zerreißen drohte! So verbrachte ich mehr Zeit damit, mich aus dem weichen Schnee zu buddeln, als Sprinters Anweisungen zu folgen.

Als ich mich wieder einmal hochgerappelt hatte, fiel mein Blick sorgenvoll auf die Spitze des Cheval

Noir, des höchsten, schroffsten und gefährlichsten Berges der Gegend. Da gab es nur schwarze Pisten. Unvorstellbar für mich, jemals da herunterzufahren, wenn ich schon am Babyhang meine Gliedmaßen nicht koordinieren konnte.

Ich seufzte frustriert. Als ich dann noch erlebte, wie Kiwi die Skier aus dem Pflug in eine nahezu parallele Stellung brachte und er mit einem Affenzahn in Richtung Tal davonglitt, fragte ich mich, ob ich hier überhaupt im richtigen Film war.

Sprinter fegte natürlich gleich im eleganten Parallelschwung hinterher, aber noch ehe er Kiwi erreicht hatte, hob es den über einen Buckel und aus den Skiern. Das heißt aus einem Ski, denn nur bei einem hatte sich die Bindung geöffnet. Der andere bohrte sich, mit Kiwis seltsam verdrehtem Bein dran, in den Tiefschnee am Rande der Piste. Der zweite Ski glitt noch ein Stück ins Tal, ehe ihn die Skibremse stoppte.

Fluchend holte Sprinter das Teil zurück. Dann sammelte er Kiwi ein. Der war einigermaßen glücklich davongekommen.

»Wie kann sich einer nur so dämlich anstellen«, fluchte Sprinter.

Am späten Nachmittag stiegen wir mit zitternden Knien und völlig demoralisiert wieder zur Hütte hoch, wo die Fortgeschrittenen, die mit Frau Kempinski und Old Mac Donald unterwegs gewesen waren, sichtlich zufrieden und vergnügt Kakao tranken. Branko saß zwischen Sophie und Jenny und ließ sich lachend von ihnen mit Keksen füttern. Als sich unsere Blicke begegneten, wurde ich rot und schaute schnell weg.

Auf dem Zimmer warf ich mich erschöpft auf

mein Bett. Wenn ich Mama erzählte, was hier so ablief, würde sie Sprinter einmachen.

Ich holte das Handy hervor. »Mama?«

»Kind! Wie geht es denn? Hast du die Fahrt gut überstanden?«

»Die Fahrt? Ja …«

»Isst du denn auch ordentlich?«

»Ja, ja …«

»Fahr nicht so halsbrecherisch. Immer schön langsam, du bist noch Anfängerin.«

»Ja …«

»Papa und Martin und Motte lassen dich grüßen!«

»Ja …«

»Wenn du was brauchst, lass es mich wissen.«

»Ja, ich …«

»Dann mach es mal gut. Tschüss!«

»Ciao.«

Ich starrte das Handy an. War das vielleicht der moralische Beistand, den ich brauchte? Verdammt noch mal!

Da dudelte das Handy los. Sicher hatte Mama gemerkt, dass das, was sie da gerade an Nichtkommunikation abgelassen hatte, keine Glanzleistung mütterlichen Einfühlungsvermögens war.

»Ja, Mama?«, sprach ich daher erwartungsvoll ins Handy.

»Hey, Schneekönigin.«

Ach du geföhnter Eisbär.

»Äh, entschuldige, ich dachte, du bist meine Mutter. Äh, das heißt, das dachte ich natürlich nicht, äh, ich meine, also, ich hab eine Anruf von meiner Mutter erwartet.«

Verhaltenes Kichern. »Hab ich mir schon gedacht.«

Schweigen.

»Na, wie läuft der Skikurs?«

»Phantastisch … äh … das heißt, eigentlich ziemlich beschissen.«

ER klang betroffen. »Wieso denn das?«

Und ohne, dass ich es wirklich wollte, lud ich bei IHM meinen ganzen Frust ab. »Ich bin für das Skifahren völlig unbegabt«, beendete ich schließlich mein Gejammer. »Ich hasse es! Ich hasse alles hier! Die eklige Hütte, die hohen Berge, und ich hasse Sprinter, diesen Bundeswehrsportlehrer!«

»Ach, vergiss den doch. Ein paar Tage und der Knoten platzt und dann macht dir das Skifahren so einen Spaß, dass du gar nicht mehr von den Brettern runterwillst.«

»Sprichst du aus Erfahrung?«

ER lachte. »Und wie! Mach's gut, Schneekönigin!«

Abgehängt.

Mila und Kati stürmten herein.

»Hier steckst du! Komm, mach schnell, es gibt was zu futtern. Wenn wir nicht pünktlich sind, fressen die anderen uns alles weg.«

Und Kati sagte: »Mann, hab ich einen Kohldampf. Die Luft hier macht echt hungrig.«

Als Tobi den Kopf bei uns zur Tür reinsteckte, sprang sie sofort auf, und wenig später war sie mit ihm weg. Ihr starkes Interesse an ihm war mir doch gleich verdächtig vorgekommen, bestimmt war schon damals ihr Argument, er könnte mein Handytyp sein, nur vorgeschoben gewesen!

Ich erinnerte mich gar nicht mehr, was Tobi für ein Sternzeichen war, aber offensichtlich schienen er und Kati auch ohne den Segen der Gestirne prima zusammenzupassen.

Bereits am nächsten Tag waren mehrere Verletzte zu beklagen und auch ich blieb nicht verschont.

Ich muss allerdings gestehen, dass es auch meiner eigenen Trotteligkeit zuzuschreiben war. Andererseits hatte Sprinter sich mal wieder nicht die Mühe gemacht, uns vor der ersten Fahrt ausführlich in die Kunst des Liftfahrens einzuweihen.

Statt mir den Tellerlift unter die Pobacken in den Bereich der Oberschenkel zu klemmen, wie es der Eingeweihte tat, und mich nur leicht dagegen zu lehnen, setzte ich mich drauf wie auf ein Schaukelbrett. Dass das ein Fehler war, merkte ich in dem Moment, als sich das Zugseil dehnte und ich den Boden berührte. Sekunden später plumpste ich unsanft in die Liftspur. Vanessa, die hinter mir eingestiegen war, machte gleich Panik und stieß mir hysterisch kreischend ihre Skispitzen in die Weichteile. Sie schob mich noch ein Stück vor sich her, ehe sie das Liftseil losließ und wir beide seitlich aus der Spur rollten.

Da hatten wir dann erst einmal heftig damit zu tun, den Skisalat zu entwirren und uns aus dem Tiefschnee zu buddeln.

Grinsend und hämische Bemerkungen über uns ausschüttend lifteten etliche unserer Klassenkameraden an uns vorbei, während wir mit unseren Skiern kämpften wie weiland Don Quichotte mit den Windmühlenflügeln.

Nur einer hatte Mitleid mit uns. Ich war zum soundsovielten Male mit dem einen Ski in Richtung Berg stecken geblieben, während der andere sich mit meinem zweiten Bein in Richtung Tal davonmachen wollte, da kurvte plötzlich von oben mit einem rasanten Stemmbogen ein Retter heran.

Jemand reichte mir seine Hand, und als ich völlig verdattert aufschaute, blickte ich in Brankos braune Augen.

Er zog mich hoch und hielt mich fest, bis ich meine Beine entwirrt und die Skier wieder in eine parallele Ausgangsposition gebracht hatte. Beim Ötzi, dachte ich, musste ich mich gerade vor ihm so blamieren?

Aber da ich alleine völlig hilflos war, blieb mir nichts anderes übrig, als mich von ihm im doppelten Schneepflug zum Anfang des Liftes zurückbringen zu lassen. Um Vanessa kümmerte sich inzwischen Sprinter. Und beim ersten »dusselige Kuh« wusste ich, dass ich sie um diesen Helfer nicht beneidete. Dankbar klammerte ich mich an Branko, der mich vor Sprinters zynischen Bemerkungen gerettet hatte.

Als wir unten wieder zusammentrafen, konnte ich Vanessa darum sogar verzeihen, dass sie ihren Frust an mir ausließ und mich angiftete. »Wie blöd muss man eigentlich sein, um aus einem solchen Babylift rauszufallen«, sagte sie mit arrogantem Augenaufschlag.

Dass sie dann einen Tag später zwar nicht aus dem Lift, aber von der Piste flog und sich dabei gleich zwei Rippen und das Schlüsselbein brach, war zwar eine gerechte, aber selbst in meinen Augen etwas zu harte Strafe für diese Gemeinheit.

Vanessa blieb nicht das einzige Opfer. Sprinters erste ehrgeizige Exkursionen führte die Gruppe der Fortgeschrittenen gleich auf schwarze Pisten und durch das berüchtigte Kanonenrohr. Danach verwandelte sich der Speisesaal in ein Lazarett. Prellungen wurden mit Eisbeuteln behandelt und Schrammen mit Jodtinktur bepinselt. Mein Liftsturz hatte auch seine Spuren hinterlassen.

»Guck mal, mein Knie«, sagte ich zu Mila und

zeigte ihr die dicke Prellung, die inzwischen richtig schön blaugrün angelaufen war.

»Sieht aus, als hättest du acht Stunden auf den Knien den Fußboden der Schule geschrubbt«, meinte sie unernst wie immer.

Aber das spektakulärste Opfer war eben doch Vanessa. Sie wurde nämlich mit einem Rettungshubschrauber ins Tal gebracht.

Am nächsten Tag fiel Neuschnee. Ein nicht enden wollender Flockenwirbel hielt uns in der Hütte fest. Mila, Kati und ich zogen uns auf unser nicht gerade gemütliches Zimmer zurück, aber wir wollten nicht den ganzen Tag mit den Bratzen aus unserer Klasse abhängen. Irgendwann klopften mehrere andere Mädchen bei uns, die sich auch nicht wohl fühlten, und schließlich stieß auch noch Frau Kempinski zu uns.

Als wir uns bei ihr über Sprinters rüde Art beklagten, bot sie an, die Anfängergruppe zu übernehmen. Das war ein echter Lichtblick, denn Sprinter hatte mich bisher nur verschreckt. Ehrlich gesagt hatte ich, gebeutelt von ihm und der Höhenangst, viel zu sehr um mein seelisches Gleichgewicht ringen müssen, um angemessen auf mein körperliches Gleichgewicht achten zu können. Nun schöpfte ich neue Hoffnung.

Als ich im Bett noch einmal auf mein Handy schaute, musste ich schmunzeln. ER hatte mir ein kleines Nachtgebet geschickt:

DIE REHLEIN BETEN ZUR NACHT,
HAB ACHT!
SIE FALTEN DIE KLEINEN ZEHLEIN,
DIE REHLEIN.
HDGDL!

Am nächsten Morgen strahlte die Sonne und Frau Kempinski schlug vor, dass wir einfach mal eine Abfahrt zur Talstation riskieren sollten. Die Piste war grün, das heißt, pipileicht.

»Eine längere Strecke am Stück zu fahren ist das Beste, um ein Gefühl für die Skier zu entwickeln«, machte sie uns Mut.

Und sie hatte wirklich Recht. Das Einzige, was mich an dem Ganzen noch störte, war die Tatsache, dass wir einen Berg runterfahren mussten. Beim abscheulichen Yeti, mir zitterten vielleicht die Knie! Trotzdem kam ich heil unten an.

»Toll!«, rief Mila begeistert. »Das ist ja wirklich voll supi!«

Und auch ich fand, dass es ganz schön Spaß gemacht hatte.

Weil wir nun schon mal unten im Ort waren, durften wir eine Stunde bummeln gehen. Wir entdeckten einen Laden, in dem man Raclettekäse kaufen und Raclettegeräte leihen konnte.

»Was meinst du«, sagte ich zu Mila, »wäre das nicht mal was Schönes für einen Hüttenabend?«

Frau Kempinski war sofort begeistert und so schleppten wir wenig später einen großen Käselaib und zwei Raclettegeräte zur Seilbahnstation.

Auf der Hütte wurden wir mit lautem Hallo begrüßt. Die Racletteparty fand allgemeine Zustimmung.

Am Abend wurde es dann ein ausgelassenes Fest. Es gelang mir sogar, einen Platz neben Branko auf der Bank am Kamin zu erhaschen, und mein Glück war perfekt. Und als er sich mitfühlend nach meinem lädierten Knie erkundigte, lag so viel Wärme in seinem Blick, dass ich mir für einen kleinen Moment einbildete, er könnte sich wirklich für mein Wohlergehen interessieren. Aber es soll ja Typen geben, dachte ich, die von Natur aus so einen Charme verströmen, dass sie jedem Menschen, den sie nur ansehen, dieses Gefühl vermitteln. Branko schien auch zu der Sorte zu gehören. Seufz!

Als die Raucher und Trinker wieder die Stimmung kippen ließen, zogen wir Mädchen uns in unser Zimmer zurück.

Müde und zufrieden legte ich mein Handy neben mein Kopfkissen. Es dudelte leise, als ich gerade einschlafen wollte.

»Zwei Spuren im Schnee führ'n herab aus steiler Höh und die eine Spur ist meine und die andre Spur ist deine ...«, säuselte mir die sympathische Stimme meines heimlichen Verehrers ins Ohr. »Na, macht es nun Spaß?«, fragte ER leise.

»Ja«, flüsterte ich zurück mit einer Stimme, die fast nur noch ein Hauchen war. »Es macht total Spaß! Du müsstest hier sein!«

»Vielleicht bin ich dir näher, als du glaubst, kleine Schneekönigin«, sagte ER. »Denk beim nächsten Skisalat daran! Und fürchte dich nicht!«

Ich war zu müde, um richtig aufzunehmen, was ER gerade gesagt hatte. Ich kam nicht mal auf den Gedanken zu fragen, woher ER denn etwas von meinem Skisalat wusste.

Es war der vorletzte Tag.

Frau Kempinski, Old Mac Donald und selbst Sprinter waren der Ansicht, dass unsere Fahrkünste nun ausreichten, um eine lange Abfahrt zu machen. Direkt neben dem Cheval Noir lag der Piz Croissant. Im Vergleich zum zackigen Grat des Cheval Noir ein eher sanfter Bergrücken, der sogar auf mich geradezu anheimelnd wirkte.

Die ganze Gruppe sollte zusammen hochfahren, oben auf der Piz-Hütte vespern und dann abfahren. Erst ein Stück gemeinsam eine relativ leichte, rote Piste und dann ab der Traverse zum Cheval Noir getrennt. Die Fortgeschrittenen würden zu einer schwarzen, ziemlich schwierigen Piste überwechseln und wir Anfänger würden gemütlich auf einer grünen Piste zu Tal rutschen.

Das Wetter war gut. Nur an der Spitze des Cheval Noir hingen ein paar Wolken. Die Auffahrt im Sessellift war – bis auf das etwas komplizierte Aussteigen – lustig. Oben auf der Piz-Hütte gab es ein wirklich gutes Essen.

Am frühen Nachmittag machten wir uns an die Abfahrt. Die Sonne hatte sich ein wenig hinter den Wolken verkrochen und vom Cheval Noir wehte eine feine Nebelwand herein.

»Lasst uns mal machen, dass wir runterkommen«, trieb uns Frau Kempinski nun an. »Eine Abfahrt im Nebel ist nicht unbedingt das, was ich mit euch Anfängern erleben muss.«

Wir brachen alle geschlossen auf.

»Wir fahren hintereinander«, sagte Frau Kempinski. »Falls wir in den Nebel kommen, achtet darauf, dass ihr immer in Sichtweite fahrt, und verliert nicht den Anschluss an euren Vordermann.«

Wir nickten und unter Gekicher ging es los.

Die Sicht war noch ganz gut und ich hatte zum ersten Mal das Gefühl, richtig ins Gleiten zu kommen. Ein paar Mal versuchte ich ganz verwegen sogar einen leichten Parallelschwung. Meine Angst war schlagartig verschwunden und ich nahm mir vor, diese einzige große Abfahrt vor der Heimreise richtig zu genießen. Vor mir fuhr Mila. Mit ihrem hellgrauen Anorak war sie zwar nicht besonders gut zu erkennen, aber da sie im gleichen Tempo fuhr wie ich, ließ sich der Anschluss wie im Schlaf halten.

Plötzlich zischte eine fremde Gruppe Snowboarder von der Seite in unsere Formation. Die hatten einen ganz schönen Zahn drauf. Der Schnee staubte unter ihren Brettern auf, dass man gar nichts mehr sehen konnte. Als sie vorbei waren, hatte ich Mila verloren.

Ich schaute mich im Fahren um. Ach, da rechts von mir fuhr etwas Graues. Das musste sie sein. Wir waren in etwa auf der Höhe der Traverse und steckten inzwischen voll in der Nebelwand. Jetzt musste ich aufpassen und durfte sie nicht aus den Augen verlieren. Irgendwo hier war der Abzweig zur grünen Piste. Ich klebte mich also vertrauensvoll an Milas schemenhafte Gestalt. Sie legte ein ganz schönes Tempo vor.

Da die Sicht immer schlechter wurde, achtete ich gar nicht mehr auf die Piste, sondern nur noch auf den grauen Anorak vor mir. Dennoch war er plötzlich verschwunden. Merde! Ich kriegte einen zarten Anflug von Panik, sagte mir aber dann, dass ich wohl auf einer grünen Piste dieses Stückchen Nebelwand alleine meistern könnte. Unterhalb der Traverse würde ja schon wieder die Sonne scheinen. Ich fuhr also getrost weiter.

Plötzlich kam eine leichte Abfahrt und dann eine kleine Anhöhe. Ich fuhr sie mit Schwung in der Abfahrtshocke hinauf. Dann stockte mir das Herz und ich warf mich, um den Schwung zu bremsen, instinktiv seitlich rückwärts in den Schnee. Vor mir tat sich ein gewaltiger Abgrund auf.

Mühsam rappelte ich mich wieder hoch und sah mich um. Ich befand mich auf einem schmalen

Grat, der fast senkrecht ins nebelig trübe Nichts abfiel. Und statt einer gewalzten grünen Piste sah ich verschwommen ein Feld mit gigantischen Buckeln vor mir liegen. Erschüttert und mit weichen Knien stützte ich mich auf meine Skistöcke.

Kein Mensch im näheren Umkreis zu sehen. Ziemlich weit unten im Nebel kurvten zwei schemenhafte Gestalten profimäßig zwischen den Buckeln herum.

Eine davon trug einen grauen Anorak. Mist. Den hatte ich offenbar im Nebel für Milas gehalten. Ich starrte verzweifelt auf die Piste. Zwar hatte uns Frau Kempinski mal ein paar kleine Buckel abrutschen lassen, aber das hier durfte ja wohl nicht wahr sein! Und dann dieser Steilhang. Wo war ich bloß hingeraten?

Ich sah mich um und entdeckte ein Pistenzeichen. »Route Traverse« und »Cheval Noir« stand dort. Das eine zeigte in die Richtung, aus der ich gekommen war, das andere geradewegs zur Buckelpiste. Schlagartig wurde mir klar, was passiert war. Statt auf die grüne Piste abzuzweigen, war ich im Nebel auf die Traverse zum Cheval Noir geraten und stand nun direkt an der schwarzen Abfahrt. Ich bin verloren, schoss es mir durch den Kopf, und meine Knie befiel ein unkontrolliertes Zittern. Da komme ich nie heil runter. Und die dramatischen Szenen von Vanessas Abtransport mit dem Hubschrauber standen mir erschreckend realistisch vor Augen.

Hier am Cheval Noir war die Sicht inzwischen besser geworden, aber in der Traverse hing die Nebelwand offenbar fest. Sollte ich zurückfahren? Nein. Ich traute mich nicht noch einmal in diese Brühe. Aber die Buckelpiste konnte ich doch auch nicht runterfahren! Am ersten Buckel würde ich mir die Skier zertrümmern, am zweiten sämtliche Knochen und am dritten würde ich unweigerlich meinen Geist aushauchen. *Oh Gräuel, oh Gräuel, oh ganz abscheul!*

Aber mir blieb ja nichts anderes übrig. Leb wohl, du schöne Welt, seufzte ich. Da dudelte mein Handy. ER! Der konnte mir ja nun auch nicht helfen.

»Schneekönigin, wo steckst du?«

»Am Abgrund!«

»Wie, am Abgrund?«

»Ich stehe am Rande der gefährlichsten Buckelpiste am steilsten Berg der Gegend und niemand ist bei mir, außer der Angst in meinem Nacken!« Ich schrie diese Worte fast heraus. »Ich stürze mich jetzt runter, dann ist es wenigstens vorbei!«

»Lass den Unfug!«, sagte ER ganz ernst. »Mit so was macht man keine Scherze.«

»Ich mach keine Scherze! Ich bin verzweifelt! Wie soll ich hier jemals wieder wegkommen?«

»Kannst du nicht zurückfahren?«, fragte ER.

»Niemals. Wo ich hergekommen bin, ist alles voller Nebel. Wenn ich schon ins kalte Grab fahre, dann wenigstens sehenden Auges!«

Meine Stimme zitterte und die Tränen, die über meine eisigen Wangen liefen, straften meinen zur Schau gestellten Trotz Lügen. Ich war ein verdammt hilfloses Häuflein Mensch in einer Natur, der ich in keiner Hinsicht gewachsen war.

Die schneebedeckten Berge waren eben mehr als ein Tummelplatz für ein paar Horden von Skiläufern. Sie blieben unberechenbar und wiesen Überheblichkeit und Übermut mit kalter Würde in ihre Schranken.

Meine Güte, wie hatte ich mich schon als Ski-Ass gefühlt, war dahingeglitten im Rausche meiner neu erworbenen Fertigkeiten. Und nun stand ich vor der ersten wirklichen Herausforderung und musste passen.

»Ich kann nicht«, seufzte ich in meinem ganzen Jammer. »Ich komme hier nie heil runter. Es ist viel zu buckelig, zu steil und zu eisig. Du machst dir keine Vorstellung davon, wie gefährlich die Piste schon von hier oben aussieht!«

»Ich kann es mir denken«, sagte ER.

»Kannst du nicht!«, jaulte ich in Panik auf.

»Kann ich doch. Und ich weiß, wie dir zu Mute ist. Aber ich weiß auch, dass du es schaffen wirst!«

»Niemals!«

»Doch! Und ich werde dir jetzt erklären, wie du es anstellst.«

»Ich brech mir den Hals und du wirst immer und ewig auf ein Date mit mir warten müssen. Warum bist du auch nicht auf dem Kirchturm geblieben? Ein blödes Graffiti hast du zurückgelassen und damit auch noch ein Kulturgut verschandelt! Jetzt ist es zu spät, Romeo! Deine Julia wirst du allenfalls in einem Zinksarg wieder sehen!«

Ach, tat ich mir Leid. IHM offenbar auch, denn ER begann mit der Beredsamkeit eines Wanderpredigers auf mich einzusülzen. »Du bist doch sportlich«, sagte ER, »und du hast beim Nachtlauf deine gute Kondition bewiesen. Du musst nur einen kühlen Kopf bewahren und dich nicht in unnötige Panik hineinsteigern.«

»Hahaha! Da lache ich aber! Weißt du eigentlich, dass ich unter chronischer Höhenangst leide?«

Das verschlug IHM die Sprache. Dann sagte ER nun seinerseits etwas trotzig: »Egal. Wende einfach an, was du bisher gelernt hast.« Und ER begann sofort, alle wichtigen Skiregeln mit mir durchzugehen. »Immer schön den Talski belasten, kräftigen Druck auf die Kanten bringen, parallel zum Berg fahren, ganz langsam im Pflugbogen um die Buckel herum und dann gleich wieder parallel. So kommst du gar nicht erst in die Falllinie.«

Ich hörte mir alles an, dachte aber überhaupt nicht daran, irgendetwas davon in die Tat umzusetzen.

Im Gegenteil! Beim Wort Falllinie kriegte ich erneut die Krise.

»Ich … ich … kann es nicht …«, stammelte ich.

»Du musst dich entspannen«, sagt ER. »Ist irgendwo eine Sitzgelegenheit?«

Unter dem Pistenzeichen stand eine aus Baumstämmen grob zusammengezimmerte Bank.

»Setz dich da einen Augenblick hin. Schließ die Augen.«

Wenn ER jetzt sagt, die Macht ist mit dir, raste ich aus, dachte ich.

»Entspann dich!«

Das war ja wohl in meinen Zustand etwas viel verlangt.

»Los, mach die Augen zu!«

»Nein!«

»Doch, Lovely, schließ bitte die Augen. Tu es für mich! Für uns!« Seine Stimme war einschmeichelnd und klang, als wolle er ein Yoga-Stündchen mit mir einlegen.

»Sag mir wenigstens, wer du bist, bevor ich mein Leben beschließe«, verlangte ich mit versagender Stimme.

»Ich verrate es dir, wenn du unten bist. Ist das ein Angebot?«

Ich riss die Augen wieder auf. »Das ist Erpressung!«

»Nein, Taktik!«

»Du Ekel!«

»Lovely, ich mag dein Temperament!«

Ach, es war nur ein kurzes Aufflackern. Selbst die Aussicht, dass ER mir nach Bewältigung der schwarzen Piste unten im Tal seine Identität enthüllen würde, konnte mich nicht anspornen, auch nur einen Ski auf die tödliche Abfahrt zu setzen.

ER blieb beharrlich. »Das ist alles nur eine mentale Angelegenheit. Ich werde dir etwas erzählen. Etwas Schönes, etwas Liebes, etwas, das dir zeigt, warum es sich lohnt, diese Piste ganz, ganz vorsichtig herunterzufahren, ohne den Hals zu brechen. Mach die Augen zu, Schneekönigin!«

Und als ich die Augen schloss, begann ER leise den Schneewalzer zu summen, den ich vor der Skifreizeit ab und zu, manchmal auch für IHN, auf dem Klavier gespielt hatte.

Den Schnee-, Schneewalzer tanzen wir zu zwei'n, du und ich, ganz allein …

Meine psychische Erschöpfung war mittlerweile so groß, dass ich seiner einschmeichelnden Stimme keinen Widerstand mehr entgegensetzen konnte. Ich öffnete die Augen einen Moment und sah aus der Nebelwand in der Traverse einen einsamen Skiläufer auftauchen.

Auch so eine verirrte Seele wie ich, dachte ich, ein wenig Hoffnung schöpfend, schloss jedoch wieder resigniert die Augen, als er in einer Senke verschwand.

»Du bist stark, Lovely«, sagte ER gerade. »Du wirst diese Piste runterfahren und ich werde dir dabei helfen.«

»Und wie, bitte schön?«, schrie ich mit zusammengekniffenen Augen auf. »Da helfen einem keine Worte! Ich brauche jemanden, der mich an die Hand nimmt und runterlotst! Ich brauche jemanden, den es wirklich gibt! Nicht so einen Typen wie dich, der schön redet, aber nicht da ist, wenn man ihn wirklich braucht!«

»Denkst du nicht ein bisschen schlecht von mir?«

Ich hatte plötzlich das eindeutige Gefühl, dass ich auf der Bank nicht mehr alleine war. Dass sich jemand neben mich gesetzt hatte.

»Lovely, mach doch mal die Augen auf.«

Ich riss die Augen auf und starrte in … Brankos Gesicht.

Er hielt das Handy vor den Mund und sagte: »Bin ich real genug?«

Zartere Gemüter als ich wären jetzt sicher in Ohnmacht gefallen. Bei mir löste sich die Anspannung im albernsten Lachanfall, den ich je hatte. Dann fiel ich meinem Retter keuchend um den Hals.

Der nahm alles gelassen hin. Dabei strich er mir liebevoll über die kalten, mit leicht gefrorenen Tränenspuren überzogenen Wangen. »Was für ein perfekter Ort für ein erstes Date«, sagte er sichtlich zufrieden.

»Und für einen ersten Kuss«, flüsterte ich.

Unsere Lippen berührten sich sanft. Der Kuss, mit salzigen Tränen gewürzt, schmeckte unvergleichlich. Er hinterließ ein Glücksgefühl, ungefähr so wie der erste Eisbecher im Frühling.

Und als Branko mich vorsichtig die steile Buckelpiste hinablotste, fiel auch nach und nach die Angst von mir ab.

Dann waren wir aus der Gefahrenzone heraus.

Meine Knie zitterten nicht mehr und statt dass die Höhenangst in meinem Kopf kreiste, klimperte darin ein imaginäres Klavier den Schneewalzer.

Und als Branko eng umschlungen mit mir in weiten harmonischen Schwüngen das letzte Stück auf leichter Piste fuhr, war es wirklich ein bisschen, als tanzten wir den Berg hinunter.

Du und ich, ganz allein ...

Bei Einbruch der Dämmerung erreichten wir die Talstation. Atemlos sah ich Branko in die lieben braunen Augen und wusste, dass ich nicht nur am Ende der Piste angekommen war.

Als wir nebeneinander in der letzten Seilbahn zur Mittelstation saßen, nahm Branko plötzlich sein Handy heraus und begann eine Message zu tippen.

Mein Handy piepte. Ich lachte ihn an. Auf dem Display stand: *LOVE U.*

Und weil er diesmal seine Nummer nicht unterschlagen hatte, konnte ich ihm endlich antworten. Und glücklich tippte ich meine erste SMS für IHN: *LOVE U 2!*

Unter Verwendung von Gedichten aus:
Christian Morgenstern, *Galgenlieder,*
Verlag von Bruno Cassirer, Berlin 1905

Mehr über Hanna, Mila und Kati:
Hexentricks & Liebeszauber
Liebesquiz & Pferdekuss
Liebestrank & Schokokuss
Superstars & Liebesstress
Liebestest & Musenkuss
Liebeslied & Schulfestküsse
Mobile Phone Love

Falls du Lust hast, Bianka Minte-König eine Mail
zu schicken – hier ihre Adresse:
autorin@biankaminte-koenig.de

Minte-König, Bianka:
Handy-Liebe
ISBN 3 522 17376 7

Reihengestaltung: Birgit Schössow
Einbandillustration: Birgit Schössow
Schrift: Stempel Garamond
Satz: KCS GmbH, Buchholz/Hamburg
Reproduktion: Die Repro, Tamm
Druck und Bindung: Friedrich Pustet, Regensburg
© 2000 by Thienemann Verlag
(Thienemann Verlag GmbH) Stuttgart/Wien
Printed in Germany. Alle Rechte vorbehalten.
14 13 12 11* 06 07 08 09

www.thienemann.de
www.frechemaedchen.de
www.biankaminte-koenig.de

Freche Mädchen – freche Bücher!

von Bianka Minte-König

Vinnis turbulentes Liebesleben

❏ **Generalprobe**
272 Seiten · ISBN 3 522 17125 X
So ein Theater!

❏ **Theaterfieber**
192 Seiten · ISBN 3 522 17265 5
Vinni am Rande des Nervenzusammenbruchs

❏ **Herzgeflimmer**
192 Seiten · ISBN 3 522 17338 4
Verliebt in einen Fernsehstar

Kiki im Liebeschaos

❏ **Schulhof-Flirt & Laufstegträume**
208 Seiten · ISBN 3 522 17491 7
Wer ist die Schönste im ganzen Land?

❏ **Knutschverbot & Herzensdiebe**
208 Seiten · ISBN 3 522 17572 7
Kiki in der Achterbahn der Gefühle

❏ **Liebesfrust & Popstar-Kuss**
208 Seiten · ISBN 3 522 17723 1
Ein Popstar zum Küssen!

Hanna, Mila und Kati im Liebesstress

☑ **Handy-Liebe**
192 Seiten · ISBN 3 522 17376 7
Flirt mit geheimen Mächten

❏ **Hexentricks & Liebeszauber**
192 Seiten · ISBN 3 522 17420 8
Wie verzaubert man einen Jungen

❏ **Liebesquiz & Pferdekuss**
208 Seiten · ISBN 3 522 17455 0
Ein Referendar zum Verlieben

❏ **Liebestrank & Schokokuss**
208 Seiten · ISBN 3 522 17616 2
Wer ist Katis heimlicher Verehrer?

❏ **Superstars & Liebesstress**
208 Seiten · ISBN 3 522 17636 7
Sing mir dein schönstes Liebeslied!

❏ **Liebestest & Musenkuss**
192 Seiten · ISBN 3 522 17676 6
Ein Freund für Mila muss her!

❏ **Liebeslied & Schulfestküsse**
192 Seiten · ISBN 3 522 17759 2
Ist Markus etwa untreu?

Freche Mädchen – freche Bücher!

von Bianka Minte-König

Freche Mädchen – freches Englisch

❑ **Mobile Phone Love**
208 Seiten · ISBN 3 522 17687 1
Wer flirtet mit Hanna per SMS?

❑ **Summer, Sun & Holiday Love**
336 Seiten · ISBN 3 522 17775 4
Siebenmal Flirten auf Englisch

❑ **Schoolyard Flirt & Catwalk Dreams**
224 Seiten · ISBN 3 522 17806 8
Kiki beim Modelkontest

Anthologien

❑ **Sommer, Sonne, Ferienliebe**
320 Seiten · ISBN 3 522 17686 3
Die sieben schönsten Ferienflirts!

❑ **Liebe, Küsse, Herzgeschichten**
160 Seiten · ISBN 3 522 17734 7
Die zwölf Siegergeschichten des Schreibwettbewerbs

❑ **Liebe, Kuss, O Tannenbaum**
320 Seiten · ISBN 3 522 17735 5
Siebenmal Weihnachten und Liebe satt!

Liebe & Geheimnis

Gänsehaut von Bianka Minte-König

❑ **Esmeraldas Fluch**
320 Seiten · ISBN 3 522 17558 1
Justin und Lorna auf den Spuren der Vergangenheit

❑ **SMS aus dem Jenseits**
224 Seiten · ISBN 3 522 17526 3
Wer war die schöne Unbekannte?

❑ **Schule der dunklen Träume**
224 Seiten · ISBN 3 522 17607 3
Traum oder schreckliche Wirklichkeit?

❑ **Nebel des Vergessens**
224 Seiten · ISBN 3 522 17772 X
Ein düsteres Geheimnis!

❑ **Schrei aus der Vergangenheit**
224 Seiten · ISBN 3 522 17799 1
Lotte im Gutshaus des Grauens!

✔ Hab ich schon! – ♥ Muss ich haben!